老子의 도덕경 1·2·3
('노자가 옳았다' 비평서)

1

문제는 아니지만、 老子의 글이 아니다。

정치철학서다。 현학을 따르는 도올의 노자는、 그에 한정된

책 노자는、 왕필의 현학서나 하상공의 심신수련서가 아니라

저자 약력

1962년 전남 무안 生

1981년 광주대동고등학교를 졸업하고, 1982년 전남대학교에 입학 1년 수학 후 중퇴하고, 후에 한국방송통신대학교 교육학과를 졸업했다.

〈노자〉를 읽기 위해 漢文을 공부했고, 문장을 이해하고자 〈노자〉와 논지 20여 년이 훌쩍 넘었다.

저서로는

1. 통용본 해석서인 『노자의 마음으로 도덕경을 읽다』(2004)와,

2. 중국 高明의 백서본 釋文을 참고한 『노자독법』(2013)과,

3. 백서본과 통용본 노자가 개작본임을 증명하는 〈곽점초묘죽간〉 노자편 해석서인 『초간노자와 그 밖의 노자』(2020)와,

4. 그리고, 〈곽점초묘죽간〉의 노목공문자사편과 공자의 정치론인 치의편을 역해한 『공자의 정치론 항백』(2021)이 있다.

저자의 노자서는 지금까지 전해오는 노자 도덕경 해석서와 전혀 다르다. 책에도 비교문장은 많으나 기존 출판물과 같이 읽으면 깊이가 더 풍성해질 것이다.

일러두기

가. 이 책은 도올의 노자 해석서 '노자가 옳았다' 비평서이지만, 보다
   근본은, 왕필·하상공의 노자 注 이후 2천여 년 동안 틀어진 노자
   의 역해를 바로잡는 것에 목적이 있다.

나. 이 책은 노자 81장 중 老子의 道와 名에 관한 종교적 철학적 정
   의, 인간관 그리고 정치술이 개괄적으로 쓰인 제1,2,3장 해석서
   다. 세 장은 노자의 이정표와 같아 오늘날까지도 이견이 집중된
   곳이다.

다. 이 책은 지금까지 해석하지 못한 衆妙之門이 들어있는 노자 제1
   장, 문장의 왜곡으로 대상을 숨긴 제2장, 그리고 뜻을 바르게 풀
   지 못한 제3장이 완벽히 해석되었다. 더하여 본문 속에는 연관
   된 다른 장도 많이 소개되었다.

라. 1권은 [미리보기]로 한비자의 해로편과 월암 이광려 선생의 독노
   자오칙에 쓰인 '도가도비상도 명가명비상명' 注를 먼저 소개했
   다. 책 내용에 앞서 읽어주기를 원해서다. 그리고 제1장 각 연에
   는 중국 고명의 백서노자교주 문장을 실었다. 이는 현학적 관점
   이 결코 우리의 주체적 해석이 아님을 보여주기 위함이다. 더하
   여 도올이 인용한 많은 자료를 저자도 최대한 인용했다. 객관성
   을 담보하여 是非를 분명히 하고자 함이다.

마. 원래 노자는 곽점초묘죽간의 노자(이하 초간노자 또는 초간본)가 진(원)본 노자고, 백서본과 통용본은 개조된 노자이다. 즉, 통용본 제1·3장은 백서본(또는 그 이전)부터 만들어져 삽입된 것이나, 초간본의 뜻을 잘 반영하였고 문장 또한 수려하다.

바. 사람은 老子로, 책은 노자 또는 도덕경으로 표현함을 원칙으로 했다. 또 진본의 저자인 老子와 왜곡본의 저자인 老子를 구분해야 하지만 편의상 하나로 했다.

사. 노자 비평서인 까닭에 인용 문장을 많이 실었다. 도올 책 인용 문장은 최대한 원문대로 실으려고 노력했지만, 띄우기는 지면 관계상 많이 따르지 못했다.

아. 인용 문장이 많아서 인용부호는 넣거나 빼는 등 혼용했다. 또 한문 문장도 한문漢文으로 쓰는 대신 한문이나 漢文처럼 병용을 원칙으로 했다.

자. 교수를 제외하고 비평을 위한 인용문의 출처는 넣지 않는 것을 원칙으로 했다. 다만 모든 인용문은 검색이 가능하다.

차. 2권의 [별지]5에는, 문법 혹은 독법과 관련하여, '〈논어〉 바르게 읽기'를 넣었다. 노자 못지않게 많이 읽힌 책이 孔子의 論語일 것이나, 상당한 문장이 잘못 번역되어 읽히고 있어서다. 이 역시 본문에 앞서 읽어도 무방하다.

타. 가독성을 높이기 위해 제1장과 제2,3장으로 분권했다.

머리말

1

이 책은 도올의 노자 해석서 '노자가 옳았다'에 대한 반론으로 시작된 것이지만, 그것은 수단일 뿐 노자의 바른 뜻을 알리는 데 목적이 있다. 한발 더 나아가 '[별지]5 논어 바르게 읽기'를 통해 표의문자인 漢文을 이해하고 한문장의 독해력을 키울 수 있는 독자가 나온다면 더없는 기쁨일 것이다.

도올의 책은 노자를 玄學[1]으로 주석한 왕필을 따라 해설을 한다. 하지만 왕필은 도덕경 제1장의 어떤 문장도 바르게 해석하지 못한, 즉 노자를 이해하지 못했던 사람이다. 더해서 이번에 도올은 조선말의 학자인 초원의 도덕경 해석서인 담노에 퐁당 빠졌다. 하지만 현학적 해

---

[1] 중국 위(魏)·진(晉) 시대에 나타난 철학 사조로 노장사상을 바탕으로 유가의 경서들을 해석하며 형이상학적인 철학 논변을 전개하였다. 오늘날 현학은 '이론이 깊고 어려워 깨닫기 힘든 학문'이라는 뜻으로 사용되기도 한다. (포털, 두산백과, 편집 요약)

석 글인 談老도 도덕경을 바르게 읽지 못했다. 결론적으로 도올은 잘못 해석된 도덕경 해석서를 길라잡이로 삼아 도덕경을 해설했다.

저자는 책에서 비판받는 기존의 노자 도덕경 해석자들로부터 어떤 형태로든 논박이 있기를 기다렸는데, 전혀 이에 대한 비평이 없어, 자칫 세월과 함께 도올의 해괴한 노자 해설이 정설처럼 굳어져 버릴까 하는 두려움에 絕版하려던 마음을 접고 다시 이 책을 냈다. 그럼 저자가 도올보다 박식한가? 당연히 아니다. 사회적 지위, 평판, 위상 및 학식도 현저히 아래다. 모든 것이 도올과 비교도 할 수 없을 만큼이지만, 어머니(道)가 준 名이 다행히(?)도 노자에서만큼은 도올보다 바른 눈을 가졌기에 몇 자 적은 것이다.

도올도 노자를 자신의 인생 사유의 기반이라고 말했지만, 저자도 반추해보면 도올 못지않다. 이미 2004년에 통용본 해석서인 '노자의 마음으로 도덕경을 읽다'를 세상에 내었으니, 20년이 넘도록 노자를 봐왔다고 해도 무방하다. (사실 그 전에 이미 2번의 출간이 있지만 겉핥기 수준이라 뺀 것이다.) 그 후 중국 高明의 백서본 주석서인 '백서노자교주'를 얻어 '노자독법'을 냈었고[2], 후에 곽점초묘죽간의 노자를 접하고 선, '초간노자와 그 밖의 노자'도 출간했었다. 즉, 저자는 적어도 현존하는 노자의 한 획을 긋는 3개의 本을 모두 번역했다. 그 결과 처음 저자가 '노자의 마음으로 도덕경을 읽다'에서 해석한 방향이 옳

---

2) 까닭에 '노자독법'은 저자가 백서본을 직접 석문·주석하여 낸 책이 아니다.

앉음을 확인할 수 있었다.

통용본 노자 해석서인 도올의 책은, 명성에 맞게 팔려나가 얼어붙은 출판계에 그나마 얼마간의 숨통을 틔었다. 하지만 저자는 도올의 노자 책이 많이 팔리는 것 자체가 노자의 현주소를 적나라하게 드러낸 슬픈 현실이라고 생각한다. 노자의 내용과 상당히 동떨어진 글이 주장되고 있는데도 누구 하나 시비하는 사람 없이, 명성에 기대어 팔려나가고 있기 때문이다.

사실 도올은 책 선택부터 잘못했다. 개작된 통용본으로 책을 냈다는 것은, [곽점초묘죽간]의 〈노자〉가 명백하고 완전한 무결점의 원본 노자서임을 모른다는 뜻으로 읽히기 때문이다. 더 문제는 노자를 해석하면서 노자 텍스트보다는 노자를 주석한 책으로 노자를 해석하려 했다는 점이다. 즉 도올은 자신의 책에서 '본서는 이 화정장씨본 왕필주를 기준으로 한 것이다.'라고 집필 기준을 소개하고 있다. 이미 답이 정해진 노자 해석서다. 책 서문이 없다는 것도 문제다. 주석서를 내면서 서문이 없다는 것은, 여러 해석이 가능하겠지만 저자의 생각은, 노자를 관통하는 핵심 주제를 정리할 수 없기 때문이라고 본다. 이런 글의 특징은 내용이 횡설수설하고 장황하다. 역시나 도올의 글은 어설프게 노자를 아는 사람은 시비를 논하기 어렵게 되어있다.

저자는 그래도, 그가 2000년쯤 EBS에서 노자강의를 할 때, 이경숙에게 호되게 지적받은 뒤, 깊은 숙고를 한 줄 알았는데, 여전히 왕필의 품 안에서 벗어나지 못하고 있다. 그녀의 글도 받지 못하고서, 이제 와 또 옛 방식을 답습해 주해서를 내놓았다. 하지만 '조금이라도 노자에 근접한 책은 어느 것인가?'로 是非하자면, 이경숙의 '노자를 웃긴 남자'가 더 낫다.3)

도올이 자신의 논리를 증명하기 위해, '나는 너를 사랑해'로 시작하는 제1장에서 노자에 맞는 해석은 없다. 그의 영원한 스승 왕필의 注가 제1장을 모두 틀렸기 때문에 이것은 이미 예견된 것이다. 책에서 분명 왕필의 해석을 쫓는다고 했으니, 그의 글은 어쩜 그의 글이 아니라, 왕필의 주석 안에 있다고 해도 무방할 것이다. 그런데도, "나의 사유가 너무 깊고 넓어서 점점 집필이 불가능해지는 방향으로 진행되고 있다는 공포감이 들었다"거나 "1970년대에 내가 깨달은, 즉 만 50년 전의 깨달음의 폭은, 아무리 대단한 고승의 대각을 여기 피력한다 한들 그 명함을 내밀기가 쉽지 않을 것"처럼 표현한 것에는, 저자의 낯짝이 화끈거렸다. 어찌 보면 그의 주체적인 해석도 아닌데, 대놓고 저렇게 말할 수 있을까?!

저자는 2004년 출판물에서부터 기존과 달리 제1·2장을 해석했었다. 그 책에서 저자는 이미 제1장과 제2장의 내용이 기존과 근본적으로

---

3) 도올의 강의 내용을 비판한 책 '노자를 웃긴 남자'는, 불완전하지만 제1장 역해는 이전에 없던 시각으로 쓴 신선한 내용이다. 하지만 이후 출간한 '완역 도덕경'은 버려야 할 책이다.

다르다는 것을 나름 상세하게 비교 설명했었다. 하지만 언변이 없어서인지 在野의 사람이어서인지는 몰라도, 속된말로 씨도 먹히지 않고 잊혀졌다. 이때는 백서본·초간본을 보기 전이다. 그것들을 전혀 접해보지도 않고 오직 통용본만 보고서 앞으로 읽을 본문의 방향으로 해석했었다. 이는 지금 들춰봐도 감개무량하다. 그리고 최근까지도 저자만이 그러한 방향으로 노자를 역해한 줄 알았다.

그런데 우연히 한비자(이하 한비)와 월암 이광려 선생(이하 월암) 그리고 초원이 道를 저자와 같이 '가차한 이름'으로 해석한 것을 알았다. 정말 뛸 듯이 기뻤다. 적어도 저자의 번역이 틀리지 않았다는 것을 증명할 수 있는 객관적인 자료이자 동료가 생겼기 때문이다. 가장 오래된 노자 주석서인 한비 解老편과 도올이 책 속에 올린 월암의 '독노자오칙'의 道可道非常道 名可名非常名 해석은 정확했다. 그들은 道의 뜻을 이해하고 있었다. 그러함에도 내용이 바르게 알려지지 못한 것은, 번역자가 띄우기를 잘못하거나, 한자의 훈을 생략하거나 잘못 사용해 오역해서다. 즉 최초 번역자가 한비나 월암의 문장을 옳게 이해하지 못해서 발생한 것이다. 도올 또한 읽어내지 못했는데, 너무 중요해 따로 때어 [미리보기]로 책 내용에 앞서 올렸다.

혹 독자는 말할지 모른다. '저자가 틀리게 번역했을 수도 있는 것 아닌가?'라고. 아니다. 문법과 문장의 흐름으로 볼 때 저자의 역해는 문맥이 끊어짐 없이 꼬리에 꼬리를 물고 이어져 절대 그럴 수 없다.

하지만 내가 참이라고 우겨봐야 옷걸이가 화려하지 않으니 안 믿으면 어쩔 수 없다. 그래서 부탁 겸 조언을 드리고자 한비와 월암의 [미리보기] 읽기를 권한 것이다. '그래도 설마'하는 독자에게는 또 다른 보기가 있다. 즉 책 본문 제1장 도올 비평 글 속에는 하나·둘·셋만 셈할 수 있으면 비록 漢文章을 읽을지 몰라도 번역문이 맞는지 틀렸는지 판단할 수 있는 문장이 있다. 정말이다. 까닭에 그동안 독자가 읽은 노자와 내용이 다르더라도 [미리보기]에서 마음이 動했다면, 한 번 속는 셈 치고 다 읽고서 판단해주면 하는 바람이다. 저자의 책을 모두 읽다 보면 노자가 구름에서 나와 독자 여러분 앞에 있을 것이라 진심 자신한다.

2.

도올은 통용본 노자주해서를 내놓으면서 자신의 논리에 맞는 왕필과 초원의 글만 가져와 동서양을 넘나드는 자신의 해박한 지식을 덧씌워 이야기하고 있다. 하지만, 그의 글이 진정한 노자주해서가 되려면, 문장의 번역과 해석이 다른 내용도 소개했어야 했다. 논리적 비평이 어렵다면, 최소한 다른 견해가 있다는 것을 언급이라도 해주어야 한다. 적어도 독자를 위해, 기존의 책과 무엇이 다른지, 대강의 내용과 함께 자신의 주해를 주장해야 한다고 본다. 그것이 출판이다. 자신의 입맛에 맞는 주해만 취해서 주장하려면, 강단에서 가르치면 될 일이지, 책으로 독자를 현혹할 것이 아니다.

故 김충렬 교수도 자신의 저서에서 말했다.

"강의와 저술은 다르다. 강의한 것을 아무리 문자화했다 해도 그것은 어디까지나 강의일 뿐이다. 저술이란 정밀하게 여러 학설을 섭렵 정리하고 자기의 학설을 세워서 논리 체계에 맞게 엮어내는 것이다." (p335)

즉, 출간한다는 것은 적어도, 노자의 문장에 대한 이설을 정리하고 잘잘못을 따지고, 자신의 주장을 논리적으로 펴야 한다고 생각한다. 그래야 독자도 입장을 가질 수 있다.

모두는 아니겠으나, 중국 고문학의 연구에 있어서 우리 강단의 근본적인 문제는, 주체적인 판단을 거의 하지 못한다는 점이다. 오히려 우리 철학자들은 마치 맹목적이듯 일체의 비판을 접고 추종한다. 어떤 이유라고 단정하기는 어렵지만, 저자가 판단하는 주된 이유는, 중국측은 출토문헌이 나오면 바로 공개를 하는 것이 아니라, 긴 시간 연구를 통해 방향과 내용을 이미 결정하고서 발표하기 때문이다. 물론 저자처럼 이를 비판적으로 수용하면 문제는 없다. 해석의 좋은 참고자료가 되기 때문이다.

"1973년 12월 중국 장사(長沙) 마왕퇴(馬王堆) 한묘(漢墓)에서 발굴된…'백서(帛書) 노자(老子)' 자료를 4년 뒤인 1977년에…입수하게 된 것이다.…중국 학자들은 새로운 자료가 발굴될 경우, 자신들이 완전히 정리하고 그 자료에 대한 학술 연구가 일단락되기 전까지는 철저하게 비밀에 부치고 공개하지 않는다. 그래서 주변국 중국 철학 전공자들은 5~10년 후에야 관련자료나 연구논문을 접할 수 있다."

(김충렬교수의노자강의, 20p~21p 일부)

밑줄처럼 중국측은, '그 자료에 대한 학술 연구가 일단락'되어야 공개한다. 이러니 중국학을 연구하는 다른 나라 학자는 그들보다 완벽한 논리가 없다면, 비판은 언감생심이다. 그대로 그들의 학술연구를 따를 수밖에 없다. 이것이 현재 중국 고문학을 접하는 우리의 현실이다.

도올의 책도 색다를 것이 없다. 기존 현학서의 입장에 常道의 常을 더해 색다른 것인 양 주장하고 있을 뿐이다. 까닭에 도올 책 비평은 곧 지금까지도 노자를 현학으로 주석하는 중국 주류학계의 비판과도 같다. 고명의 백서노자교주 제1장을 상세히 소개한 것도 이와 무관치 않다.

미리 몇몇 도올의 오류 문장을 보자면,

사랑을 사랑이라고 말한다는 것, 사랑을 사랑이라는 개념 속으로 집어넣는다는 것, 그렇게 해서 개념화된 사랑은 참사랑이 아니다….
도가도, 비상도. 道可道, 非常道.
도를 도라고 말하면 그 말하여진 도는 상도常道가 아니다. (p21)

만약 "도가도 비상도"가 "말하여지는 도는 영원불변한 도가 아니다"라는 의미에서 해석되어야 한다면, 『도덕경』 전체가 나타내고 있는 세계관은 플라톤이나 기독교가 나타내고 있는 세계관과 동일한, 아니 그 아류에도 못미치는 초라한 것이 되어 버린다. (p25)

조건절이 아닌 본절, 비상도非常道의 주어는 가도지도可道之道 즉 언어 속으로 들어온 도가 된다.…인류 역사상 대표적인 노자의 주석가로 알려진 왕필王弼, AD226~249도 명료하게 비상도의 주어로서 가도지도를 내세웠다.… 가도지도可道之道는, 즉 도라고 언표된 도는 상도常道가 아니다.

可道之道 非常道

이 문장에서 가도지도가 상도가 아니라는 논의는 매우 이해가 쉽다. "비非"는 "A is not B"의 "is not" 즉 "…이 아니다"라는 매우 평범한 뜻이니까. 그런데 이 구절의 해석에 있어서 최대의 난처難處는 바로 "상도常道"라는 이 한마디에 있다. "상도"에서 "상"은 도道를 수식하는 형용사이다. 문자 그대로 말하면 "상常스러운 도道"라는 뜻이다. (p23)

여기서부터 도올은 常을 가지고 봇물 터지듯 썰을 풀기 시작하는데, 상은 영원(시간에 종속되지 않는다) 불변(변하지 않는다)의 뜻을 내포하지 않고, '변화의 항상성'을 말한다고 표현한다. 그리고 제1장의 끝에서, 「『노자』1장에 대한 나의 강론을 한마디로 요약하자면 "常" 혹은 "常道," 그 한마디로 귀결된다. 그것은 변화의 부정의 부정이며, 시간의 긍정이다.」(p90)고 다시 한번 강조하며 마무리한다. 즉 도올은 제1장의 모든 설명을 상도로 시작해서 상도로 끝맺는다.

하지만, 문장 속 常은 - 도올의 설명과 달리 - 형용사가 아니며, 해석에 있어서 최대의 어려운 곳(난처)도 아니며, 조건절도 아니며, 도가도와 가도지도는 다르며, 왕필은 인류 역사상 대표적인 노자 주석가가 아님은 물론 제1장의 어떤 문장도 바르게 풀지 못했으며, '도가도 비상도'는 우리말 번역이 '도를 도라고 말하면 그 말하여진 (즉 도라고 언표된) 도는 상도가 아니다'도 아니고, 그렇다고 '말하여지는 도는 영원불변한 도가 아니다'도 아니며, 철학적으로 깊은 뜻을 내포하거나, 시공간 상의 항상성을 뜻하지도 않는다. 여기의 常은 문맥으로나 위치상 그럴 수가 없다. 즉 인용한 도올의 문장은 대부분 오류다. 더 나아가 이런 논리를 뒷받침하기 위해 가져온, 중국 학자의 易 계사上 形而上者謂之道에 대한 해석이나 동양에는 존재론·인식론이 없다는 주장은 모두 노자 제1장을 바르게 번역하지 못해 발생한 것이다.

최근에야 저자도 역대로 '상도'에 대해 견해가 많다는 것을 알았지만, 그래도 '도가도 비상도'의 常이 이 정도로 깊은 의미인지는 미처 몰랐다. 하지만 상도에 의미를 부여하는 도올이나 중국 현학 계의 견해는 어디까지나 도덕경을 玄學으로 풀이한 왕필을 따르는 무리의 주장일 뿐 바른 해석이 아니다. 본문에 상세한 설명이 있어 다만 여기서 언급하고 싶은 것은, 도올은 도덕경 제1장 첫 문장 '도가도 비상도' 속의 '상도'를 가지고 엄청나게 새로운 것을 발견한 양 많은 것을 주장한다는 것이다. 저자의 글을 읽고서 도올에 대한 허탈감마저 생기지 않을까 걱정도 들지만, 통용본으로 2천여 년 동안 주석을 이어온 동서 고금의 노자 해석자 모두 해당하는 것이어서 그만의 문제는 아니다는 것을 밝힌다. 즉 도올의 다른 많은 학식은 앞으로도 우리에게 많은 것을 줄 것이다. 노자만 빼고.

3.

도덕경은 총 81장으로 구성되어 있다. 그리고 처음 1·2·3장은 도덕경의 서문이면서 결론이 들어있는 곳이다.4) 즉 모든 장을 통관하는 '마루'가 되는 핵심이 이 3개의 장에 들어있다. 즉, 개작된 백서본과 통용본은 처음 3개 장에 핵심 철학관·정치관이 다 있다. 도올 역시 해석은 달라도 이 3개의 장을 저자처럼 설명하고 있고, 이 3개의 장에 정성을 쏟았다. 저자가 3개의 장으로 노자를 쓴 하나의 이유다.

제1장은 더해진 문장에서 가장 아름답고 깊이도 진본 노자 못지않은 글이다. 내용도 도의 개념 정의 및 만물과의 관계 그리고 그것의 인식에 관해 명확히 밝힌 글이다. 즉 만들어진 장임에도 진본인 초간본을 완벽히 이해하고 그것을 대구형식의 시문처럼 수려한 문장으로

---

4) 백서본은 순서가 덕도경이다. 설명은 편의상 통용본 순서로 했다. 이하 같다. / 초간본은 다르다. 초간본은 저자의 책 기준 1,751자 총 25편으로 구성되었다.

새롭게 창조한 존재론과 인식론의 글이다. 특히 제1장의 마지막 '현지 유현 중묘지문'을 향해 치달리는 문장의 전개 방식은 더해진 글임에도 감탄을 자아내게 한다. 만물지모인 道를 피부로 느낄 수 있는 장이지만, 문장을 '가믈 玄'과 같은 현학적인 단어를 사용해 만들다 보니 통용본처럼 단 몇 글자만 왜곡했어도 백서본 이후 2천여 년이 넘도록 1장이 무엇을 말하고 衆妙之門이 무엇을 뜻하는지, 진실을 보지 못하게 만들었다. 제2장은, 초간본에도 있는 문장이지만 한자가 고쳐져 있다. 그 결과 대상이 바뀌고 말하고자 하는 뜻은 희석됐지만 큰 틀에서 老子가 선언한 고유성의 의미는 살아 있다. 내용 면에서 보자면, 현학 쪽은 저자의 해석과 달리 상대적 가치론의 글로 이해해 왔다. 그런데 초간본에는 이를 부정할 수 있는 확실한 문장이 들어있다. 제3장은, 정치의 장이며 제1장과 마찬가지로 만들어진 장이다. 하지만 이 장도 초간을 이해하고 쓴 내용이라, 초간본의 문장 불귀난득지화를 인용하거나 정치술 爲亡爲를 爲無爲로 고쳐서 최고의 정치술로 사용하고 있다. 물론 초간본이 발견되지 않았다면 이를 알아채지는 못했을 것이다.

老子 통치론의 중요한 두 전제 기둥은 깨우침에서 본 형이상인 道의 존재 방식과 살면서 알게 된 형이하인 聖人의 행적이다. 즉 선험적인 것과 경험적인 것을 두 기둥으로 삼아 자신의 정치철학을 펼치고 있다. 그가 만물의 어미인 道와 이야기로만 들어온 성군인 성인을 가

지고 노자와 같은 통치론을 주장하는 이유는, 인간에 대한 무한한 사랑 더 자세히는 백성에 대한 끝없는 애정 때문이다. 노자는 정치의 대서사시다.

백서본·통용본은 老子가 쓴 유일한 정치서(통치서, 군주론)인 초간노자를 개작한 왜곡본이다. 진본의 한자를 고치거나 첨삭하여 내용을 왜곡하고 장의 위치를 흐트러뜨려 원래의 뜻은 얕아지고 핵심은 흩어졌다. 그래서 왕필처럼 현학서로 규정하는 관점이나 하상공의 심신수련서 등도 나오고, 심지어 여러 경구의 모음집으로도 보게 된 것이다. 하지만 저자가 정치서로 규정했던 것처럼 큰 틀에서는 노자의 뜻을 어느 정도 담아내고 있다. 원본을 왜곡하여 현학이나 심신수련서로 방향을 틀고 내용을 흩고 글을 첨삭하여 그렇게 판단하기가 어려웠을 뿐이다. 특히 가장 어려운 형이상인 道의 존재와 인식에 관한 글을 제1장에 두다 보니, 개작된 노자로는 체계적인 이론을 도출하기가 쉽지 않았다.

끝으로 초간노자 주해서를 낸 저자가 이 글을 쓴 이유는,

도올의 '노자가 옳았다'는 책이, 통용본을 텍스트로 쓴 노자서임에도, 마치 개작본이 아닌 원래의 노자인 것처럼 묘사하고 있어, 이를 분명히 짚을 필요를 느꼈고, 또 내용 면에서는 지금껏 제1장, 제2장 그리고 제3장도 그렇고, 그 어느 장도 노자를 바르게 번역하거나 해석하지 못해, 是非를 분명히 하여 뜻을 바로 세워야 했기 때문이다. 특

히 왜곡본이기는 해도 처음 3개 장은 초간본과 비견한 깊이를 담고 있고, 老子의 사상에 부합하게 의미도 담아, 초간본과의 異同도 이야기할 겸, 비평 글을 내게 된 것이다.

그래서 이번 책에는 객관적인 자료를 많이 담았다. 앞서 말한 한비의 오류 문장을 포함하여, 是非를 분명히 해야 할 제1장에 많은 자료를 덧붙였다. 노자의 첫 단추이면서 중국측의 주석이 지금까지 노자해석의 기준이었음을 알 수 있을 것이다. 예로, 중국의 북경대학교 교수였던 高明이 쓴 〈백서노자교주〉의 내용을 제1장 각 연의 해설 끝에 실었다. 특히 첫 문장 '도가도비상도 명가명비상명'은 사진과 함께 전체 문장을 역해했다. 도올이 초원에게 느낌을 받아 가장 많은 뜻을 덧씌운 '상도'가 들어있어, 자세히 소개하고픈 마음에서다. 물론 도올이 자신의 논리를 변호하고자 가져온, 여러 학자의 인용문도 가급적 그대로 살려 비평하는 등 여러 내용을 담았다.

老子의 마음을 예나 지금이나 알아주는 이가 과연 몇이나 될까! 지금도 도덕경이 정치를 이야기하는 글이며, 특히 그 시대의 권력자인 智(안다고 하는 자)에게 죽비를 내리는 글임을 아는 자는 드물다. 그런 정치서도 희박하다. 正覺하신 성인이 깨달음을 종교 자체로 남기지 않고 세속의 정치에 적용한 것이 한없이 경이롭다. 老子의 글이 하늘 위 구름이 아닌 인간 세상에 펼쳐질 수 있는 정치서로 새롭게 인식되었으면 좋겠다.

[미리보기]

한비와 월암의 노자 제1장 제1연 注

중국의 한비와 조선 후기 월암의 道可道非常道 名可名非常名 注
다. 韓非는 解老편에서 최초로 노자를 주석했고 우리나라 학자 月巖
은 독노자오칙을 남겼다. 둘은 노자 全文을 주해하지 않았다. 지금도
그렇지만 노자는 내용에 이견이 많은 경전이라 전체를 해석하는 것이
상식적인데 하지 않은 것이다. 하지만 저자가 진심 놀란 것은, 제1장
1연의 注가 둘 다 그들의 뜻과 달리 잘못 역해되었다는 사실이다. 독
자는 '설마' 하겠지만 우선은 읽어야 시비할 수 있으니, 부디 세세히
읽고 판단하기를 부탁한다. 밑줄 및 번호는 저자의 표시다.

▮ 1 韓非, 해로편 中 제1장 道可道非常道 注

凡理者, 方圓·短長·麤靡·堅脆之分也. 故理定而後物可得道[1]也. 故定
理有存亡, 有死生, 有盛衰. 夫物之一存一亡, 乍死乍生, 初盛而後衰
者, 不可謂常.
唯夫與天地之剖判也俱生, 至天地之消散也不死不衰者 謂常. 而常
者, 無攸易, 無定理, 無定理非在於常所, 是以不可道[2]也.
聖人觀其玄虛, 用其周行, 强字之曰道[3], <u>然而可論</u>, 故曰 "道[4]之可道
[5], 非常道[6]也."

[인트로] 이유는 알 수 없으나, 한비는 제1장에서 오직 道可道非常道 (名可名非常名)만을 주해했다. 인용한 문장이 注 전부다. 그런데 문장이 어려워서인지 한비의 注는 지금껏 잘못 알려졌다. 통속적인 번역 2개를 먼저 소개하고 저자의 역해를 올렸다.

무릇 '이(理)'란 모나고 둥근 것과 짧고 긴 것과 거칠고 가는 것과 단단하고 부드러운 것의 구분이다. 그러므로 '이'가 일정해진 이후에 '도(道)'를 얻을 수 있다. 따라서 일정해진 '이'에는 존재와 소멸이 있고 죽음과 삶이 있으며 성함과 쇠함이 있다. 사물이 한번 있었다가 한번 없어지고 문득 죽었다가 문득 살아나며 처음에는 성하다가 뒤에는 쇠하는 것은 한결 같다고 할 수 없다.

오직 하늘과 땅이 갈라져서 열릴 때에 함께 태어나고 하늘과 땅이 사라지고 흩어질 때까지도 죽지 않고 쇠하지 않는 것을 한결 같다고 말한다. 그리고 한결 같은 것이란 바뀌는 데가 없고 정해진 '이'가 없다. 정해진 '이'가 없는 것은 보통의 장소에 있지 않으니 이 때문에 말할 수 없다.

성인이 그 현묘한 허무를 바라보고 그 두루 운행하는 점으로써 억지로 이름을 지어 '도(道, 길)'라고 말하였으니 그런 뒤에 논할 수 있다. 그러므로 "도가 말해질 수 있는 것은 상도가 아닌 것이다"라고 한다. (1)

[해설] 역자는 총 6회 나오는 道 中, 2와 5번 두 곳에서 道를 '말하

다'로 번역했다. 문법적으로는 맞게 보이지만, 道를 '말'로 번역해 전후 문맥이 맞지 않고 뜻도 끊긴다. 그냥 고유명사나 '길 道'로 했으면 뜻이 명확하게 이어졌을 것인데 그렇게 하지 않은 것이다. 특히 문미에 나오는 然而可論 (그러하고서 논의할 수 있다)의 의미를 숙고했다면, 일부 번역의 실수에도 바로 잡을 수 있었다고 본다. 그러나 '도가도비상도'를 현학의 입장으로 잘못 번역한 까닭에, 도리어 마지막 '비상도야'도 '상도가 아닌 것이다'로 묶어버려 '부분부정'의 뜻도 놓쳐버렸다. 첫 단추를 잘못 낀 것이 영향을 미친 것이다,

무릇 이(理)란 네모난 것과 둥근 것, 짧은 것과 긴 것, 굵은 것과 가는 것, 견고한 것과 얄팍한 것의 구분이다. 그래서 이(理)가 정해진 이후에야 만물은 도를 얻을 수 있다. 그러므로 이(理)가 정해진 이후에야 있음(在)과 없음(亡)이 있고, 삶과 죽음이 있고, 흥함과 쇠함이 있게 된다. 무릇 만물이 한때 존재하다가 한때 사라지고, 잠시간에 살다가 잠시간에 죽으며, 처음에 성했다가 나중에 쇠하는 것은 영원함(常)이라 말할 수 없다.

오직 천지가 떨어질 때 함께 생겨나서 천지가 소멸할 때까지 죽지 않고 쇠하지 않는 것을 영원함이라 이른다. 영원함이란 바뀌는 바도 없고, 정해진 이치도 없다. 정해진 이치가 없으니 일정한 곳에 존재하지도 않아 이를 도라 말할 수도 없는 것이다.

(그래서) 성인이 (도의) 그 깊고 텅빈 면을 보고, (만물에) 두루 작

용하는 그 쓰임을 깨달아 억지로(强) 이름을 붙여 도(道)라 말했으니, 그런 연후에야 그것에 대해 논할 수 있게 되었다. 그래서 (노자가) "도를 도라 할 수 있으면 그것은 영원한 도가 아니다"고 말한 것이다. (2)

[해설] 역자는 道를 '말하다' 대신 2번에서 '도라 말하다'로 번역한다. 즉 是以不可道也를 '이를 도라 말할 수도 없는 것이다'로 誤讀했는데, 이 문장은 최소한 '이 때문에 道는 不可하다'처럼 번역해야 한다. 이 실수가 마지막 문장으로 이어져 '도지가도'를 '도를 도라 할 수 있으면'으로 번역하는 문법적 오류를 범하고, 또 앞뒤 문장의 연결어를 놓치고 만다. '상도' 또한 '영원한 도'로 번역해, 부분부정도 놓치고, 마치 道와 다른 상도가 있는 것처럼 만들었다. 까닭에 '도라 말해 버리면 영원한 도가 아니게 되는' 말의 유희에 지나지 않는 놀이에 빠져, '언어를 부정'하는 중국 주류인 현학의 관점으로 흘러 버렸다.

무릇 '이(理)'란 (놈은) 모나고 둥긂, 짧고 긺, 거칠고 가는 것과 단단하고 부드러움으로 나눈다 함이라. 까닭에 '이'가 정해진 후에 物은 '도(道)'를 얻었다고 할 수 있다. 그러므로 정해진 '이'에는 존재와 소멸이 있고 죽음과 삶이 있으며 성함과 쇠함이 있다. 참으로 物은 한번 존재하다가 한번 죽는 것일진저! (그러므로 物은) 갑자기 죽고 갑자기 산다. (이처럼) 처음에는 채워가다가 뒤에 쇠함이란 (놈은) 영원하다(常)고 말하기 不可하다.

오직 참으로 하늘과 땅이 쪼개지고 갈라지는 것에 더분다5) 함으로 함께 살다가, 하늘과 땅이 사라지고 흩어짐에 다다른다 함에도 죽지 않고 쇠하지 않음이란 (놈이) 영원함이라고 말할진저! 그래서 영원함 이란 (놈은)6) 바뀌는 데가 없고 정해진 '이'가 없다. 정해진 理가 없 어서 고정된 곳(常所)에 있지 않으니 이 때문에 <u>도(道)를 해서는 안</u> <u>된다.</u>

(하지만 그러하면 글을 논할 수 없는 까닭에) 성인이 그것의 현묘한 허무를 바라보고 그것이 (일정하게) 두루 행함을 씀에, 억지로 이름 (字)한 것이 가로되 '도(道)'이니, <u>**그러고서 논할 수 있었다.**</u> 까닭에 말 하길, 도는 도를 해도 좋은 것이나, 늘 도는 아니다 함이라. (저자)

[해설]

1. 2개의 인용문은 총 6회 쓰인 道에서 일부를 '말하다' 등으로 번 역하고, 하상공이 최초로 사용한 것으로 보이는 '상도'를 묶어서 번역 했다. 반면 저자는 모두 道(길)로 번역하고 '상도' 또한 '늘 도는'이다. 老子가 道를 '길 道'로 하지 않고 '말하다'의 훈으로 썼다고 주장한 이 는 중국인이 최초다. 즉 양경이란 자가 순자의 영욕편 문장을 번역하 면서 마치 '말하다'는 훈이 있는 것처럼 주장했고, 이를 근거로 고명이

---

5) 與는 대표적인 훈이 '더불다(함께하다)'와 '주다(베풀다)'다. '주다'로 하면, 道
   가 天地를 창조했다는 뜻이 된다.
6) '놈 者'는 단어·구·절 다음에 쓰여, 단어·구·절 전체를 받는다는 의미다. 한문장
   의 특징으로 번역시 생략도 가능하다. 우리의 "따옴표"와 같다고 생각하면
   된다.

최초로 노자가 道의 훈을 '말하다'로 썼다고 했다. 이는 高明이 作謂語7) 즉 '만들어 이르는 말'로 밝혔기 때문에 분명하다. 즉 道는 원래 '말하다'라는 훈이 없었는데, 老子가 도덕경 제1장 제1연 도가도에서 최초로 道를 '말하다'로 썼다는 논리다. 그럼 老子가 이런 뜻으로 도덕경을 썼는가? 아니다. 왕필의 注나 번역이 잘못된 것이다. 즉 道라는 漢字는 원래 그리고 지금도 이런 뜻이 없다. 한비의 주도 마찬가지다. 한비도 전혀 도를 '말하다'로 쓰지 않았다. 그런데 우리 학계는 道가 원래부터 이런 훈이 있었다는 듯 흔하게 사용한다. 이는 모두 틀리다.

2. 한비는 道가 임시적이라는 것을 정확하게 이해하고 있다. 즉 만물지모를 道라고 이름할 수 없음에도 이름한 것은 '그러고서 논의할 수 있다'는 '연이가론' 때문이다. 즉 논의를 위해 道라고 이름한 것이다는 뜻이다. 이 말은 논의가 가능해야 한다. 그런데 인용문은, 연이가론을 기준으로 앞은 도를 잘 설명하다가 뒤에서는 설명이 불가능하다는 식의 번역을 해버린다. 즉 道라고 해버리면 영원한 도가 아니다거나 상도가 아니다는 식으로 번역을 마무리한다. 이 게 논의가 가능하다는 말인가?! 이는 입 밖으로 내지 말라는 뜻이요, '논의가 불가능하다'는 말이다. (도올은 이 논리를 합리화하기 위해 책에서 '난 너를 사랑해'라는 말을 가지고 설명하면서 老子가 언표를 부정했다는 주장을 편다.) 즉 상호 모순

---

7) 뒤에 나오는 고명의 백서노자교주 제1장 제1연 사진 및 번역문 참조

인 번역을 한 것이다. 이런 번역은 전후 문장이 논리적으로 연결이 되지 않는다. 이어질 수 없다. 그런데도 이런 식의 번역이 지금까지 걸러지지 않고 이어져 온 것이다. 저자의 번역과 비교해보면 바로 알 수 있을 것이다. 다만 한비도 만물지모를 유도하기 위해서 道라고 이름했다는 것은 읽지 못한 것 같다. 왜냐면 설명을 제2연으로 잇지 않고 '도지가도 비상도야'처럼 道만 설명하고 제1장을 끝냈기 때문이다.[8]

3. 한비가 정확히 도덕경 첫 문장을 읽어내고 있는데, 중국측은 도덕경을 전혀 이해하지 못한 왕필이나 하상공의 주석을 따랐다. 특히 하상공은 자신의 주석에서 '상도'와 '상명'을 묶어 설명하는데, 이는 이후 도덕경을 바르게 읽는데 큰 방해를 했다.

4. 최초의 노자 해석서가 정확히 道를 규정했음에도, 이후 왕필과 하상공의 글이 학계의 주류가 된 것은, 애석하게도 한비가 노자 전체를 주석하지 못한 것이 큰 원인인 듯하다. 2연부터 마지막까지 주석이 없는 것이, 한비가 시대 때문에 알면서도 안 한 것인지 아니면 몰랐던 것인지는 알 수 없다.

5. 첫 문장 凡理者方圓…之分也는 凡理者分方圓…也의 도치 문장이다. 자전은 도치 문장의 범위가 불분명해 보이는데, 도치법은 漢文

---

8) 한비의 주석을 보면, 道를 가차한 것으로 해석하면서, 名 대신 字를 쓰고 있다. 제25장의 문장을 사용한 것인데, 이는 道가 常名이 아님을 정확히 이해했다는 뜻이다.

의 목적어·보어·관형어 등 모든 문장에서 흔하게 사용된다. 한편 기존 번역의 오류는, 道 외에 常(영원함)을 이야기하는 부분에도 있다. 형이상의 문장은 번역이 어렵기 때문이다. 예로 唯夫與天地之剖判也俱生에서 與와 俱는 '함께'라는 공통 훈이 있는데 두 번역문장은 하나를 번역하지 않고 있다. 한문은 고립어인 뜻글자라서 한 자를 빼버리면 뜻은 달라질 수밖에 없다. 이곳도, 천지가 처음 열릴 때 영원함이란 놈도 같이 함께 산다는 것이지 천지와 함께 태어났다는 뜻이 아니다. 어쩌면 '각주 5)'가 한비의 뜻일 수도 있다.

6. 그동안 한비의 글을 정확히 읽지 못했던 것은, 漢字의 특성 때문이기도 하다. 즉 老子가 도가도비상도라고 한 것을, 한비는 많은 설명을 곁들인 다음 결론이랍시고 '고왈 도지가도 비상도야'라고 썼다. 원문에 고작 之만 더 넣은 것이다. 우리가 보기로 그게 그것인 말을 한 것이지만, 사실 한문은 뜻글자라서 이것이 최선일 수 있다.

한비가 道可道 非常道의 문장을 道之可道 非常道也로 해석한 것은 많은 것을 알려준다. 그중 가장 눈에 띄는 것은 之다. 노자 원문은 道可道인데 한비가 之를 넣어 道之可道로 해석한 것은 之가 자전에 나오는 훈이 아닐 수 있음을 보여준다. 즉 여기의 之는 단순히 우리말의 '는'처럼 어조사나 어미로 쓰거나 또 운율 등의 이유로 의미 없이 넣는 것이 아니라 나름의 훈을 갖는다는 것을 뜻한다. 즉 오늘날 之를 주격조사, 관형격조사, 소유격조사로 해석하는 것은 '틀리다'. 물론 지시사나 대사까지는 분별이 어렵다. 하지만 최소한 단순 조사는 아님을 우리는 알 수 있다. 돌아와 다시 강조하지만, 道는 가차한 이름(名) 즉 假名(字)이다. 老子가 가명을 쓴 이유는 '연이가론(그러고서 논의할 수 있기)' 때문이다. 즉 '유명'하고서 '만물지모'로 정의할 수 있는 것이다.

[쉼터] 한문은 사라지거나 최소한의 범위에서만 다뤄져야 할 문자라고 생각한다. 한문을 한문으로 설명하는 것은 뫼비우스의 띠처럼 끝이 없는 언어의 유희다. 한글처럼 표음문자만이 내용이 분명하고 설명이 쉽다. 그래서 한글은 세상의 어떤 문자도 쉽게 표기할 수 있지만, 한문은 고립어인 뜻글자이기 때문에 불가하다. 까닭에 우리는 굳이 한문을 사용할 필요는 없다. 다만 우리나라는 한자를 사용한 역사와 사료가 많이 남아 있기에, 한문을 업으로 하는 학자는 최소한 한문장을 바르게 읽어 낼 수 있어야 한다. 그렇지 못하면 노자처럼 중국인들이 왜곡한 주석을 그대로 수용하는 우를 범하게 되고, 독자는 그것이 老子의 글인 양 읽게 되는 슬픔을 겪게 되는 것이다. 한문은 이 외에도 왜곡하기가 쉽고, 한 자 한 자를 외워야 해 문맹률이 높다. 이는 독재자의 지배력을 쉽게 한다.

▇ 2 月巖 이광려李匡呂(1722~1783)의 『독노자오칙讀老子五則』
中 제1장

道者, 路也, 人所共由也. 人之有道, 猶夫道路然, 故以道喩道. 既曰道, 已名之矣. 夫非其生而俱者, 則道常無名. 不得不謂之道, 而常無名. 無名者, 常不去; 有名者, 不可常. 故曰, 可道而非常道, 可名而非常名. 可道則非常道, 可名則非常名.

[인트로] 월암의 제1연 '도가도비상도 명가명비상명' 注다. 그도 역시 道가 개념 정의라는 사실을 정확히 알고 있다. 다른 점은 한비는 道를 字로 설명했는데 월암은 名으로 잇고 있다. 하지만 도올은 이를 읽지 못했다. 물론 도올만이 아니다. 뒤 김학목 교수의 번역도 그러하기 때문이다. 아마 학계의 흐름으로 보인다. 번역 후 해설이다.

도라는 것은 길(도로道路)을 말하는 것이니, 사람들이 함께 따라가는 것이다. 사람에게 도가 있다고 하는 것은 마치 길이 있다고 하는 것과 같기에, 길이라는 말로써 도를 비유한 것이다. 그런데 이왕 도라고 해버리면 곧 이름을 갖게 되는 것이므로 생하여 구비되어 있는 천연의 모습일 수가 없다. 그러므로 도는 늘 그러하기에 이름이 없다. 그러나 또 도라고 말하지 않을 수도 없는 것이나, 항상 그러한 모습에는 이름이 본시 없는 것이다. 이름이 없는 것이래야 항상 그러하여 사라지지 않는다. 이름이 있는 것은 항상 그러할 수가 없는 것이다. 그러므로 도라 말할 수 있으면 상도常道일 수가 없고, 이름 지을 수 있으면 상명常名일 수가 없다고 말한 것이다. 도라 말할 수 있으면 상도가 아니요, 이름 지을 수 있으면 상명이 아니다.

(도올, 노자가 옳았다, p48~49)

도란 길이다 함이니, 사람들은 (길을) 말미암음으로 (삶을) 함께하는 (共由) 바다 함이라. 사람이 道를 지녔다는 것은, 마치 저 道가 그런 길(路)과 같을진저. (즉 사람은 道인 길路로 이어져 그 위에서 삶을 영위한다) 까닭에 道로써 道를 비유함이다. <u>(그런데) 벌써(旣) 뱉은 (曰) 道는, 이미(已) 이름(名)인 것(之)이지 않는가(矣)!</u> (언표된 도는 이미 이름名이다. 그러나) 참으로 그(만물지모)는 태어나서 함께하는 놈이 아닐진저. (당연히) 道는 영원히 이름이 없는 법이다. (즉 원래 道는 생멸이 없어 영원히 이름이 없다)

(즉)하지 아니할 수 없어서 이르는 것이 道일 뿐, (道란 그 무엇은 원래) 영원히 이름이 없다. 이름이 없음이란 영원히 떠나지 않는다. (반면) 이름이 있음이란, 영원함이 불가능하다(할 것이다). 그러므로 가로되, '도를 해도 좋을 뿐 늘 도는 아니다. (즉, 도란) 이름을 해도 좋을 뿐 늘 이름은 아니다.(고 한 것이다.)' (다시 말해) 도가 옳다고 언제나(항상) 도는 아닌 법이다. (즉, 도란) 이름을 해도 좋지만 늘 이름은 아닌 법이다. (저자)

[해설]

1. 월암의 글은 도올이 문장 속의 無名者常不去 有名者不可常을 사용하고자, 초원에 앞서 인트로의 성격으로 올린 것이다. 그런데 읽어보니, 월암의 道는 형이상의 道요 지금껏 저자가 主唱한 假借한 名

29

임을 설명하는 내용이었다. 즉 道를 저자의 관점처럼 이해하고 있었다. 도올이 道를 자신의 입맛에 맞게 추종하는 왕필의 현학처럼 문장을 잘못 번역했을 뿐이다.

2. 간략하게 표현했지만, 旣曰道 己名之矣(기왕에 뱉어버린 道는, 이미 名인 것이 아닌가)가 문장의 핵심어다. 도올은 이 문장을 '그런데 이왕 도라고 해버리면 곧 이름을 갖게 되는 것이므로'로 번역했다. 얼핏 두 번역은 비슷해 보이지만, 문장을 어조사 矣(아닌가?)9)에서 종결하지 않고, 뒤의 夫非其生而俱者에 이어버려 뜻을 놓쳤다. 이것을 바로 읽지 못해 道가 가차한 名임을 흘려버린 것이다. 즉 저자와 도올의 번역은 이어지는 문장에서 크게 나누어졌는데, 저자는 해설을 덧붙였고 도올은 무슨 뜻인지 이해하기 어려운 글로 바로 이었다. 두 번역이 나누어진 결정적 차이는 한자의 대표적인 훈을 바르게 사용한 것에서 나왔다. 즉 夫와 俱를 도올은 무시하거나 '구비되어 있는 천연의 모습'이라고 한 반면, 저자는 두 한자의 대표적인 훈인 '참으로 … 할 것이다'와 '함께하다'로 읽은 것이다. 俱는 앞서 한비도 사용한 한자인데, 특별히 형이상인 道에 쓴 듯하다.

3. 월암은 道者, 路也로 표현한 까닭에, 猶夫道路然의 도로(道路)는 '도'와 '길'로 나누는 것이 바르다고 판단했다. 내용상으로도 그렇다.

---

9) 矣는 '아닌가!'라는 '반어적 의문 조사'로 '반드시 그러하다'는 강한 긍정의 뜻을 내포한다. 대부분은 문장의 끝에 쓰이나, 간혹 문장의 중간에 쓴 경우도 있다.

4. 漢文章 후반부 可道而非常道 可名而非常名과 可道則非常道 可名則非常名은 오직 而와 則만 다르다. 당연히 번역자라면 이 구분이 무엇을 뜻하는지 생각해야 한다. 하지만, 도올은 모두 '~있으면'으로 번역한다. 또 이 문장의 可道, 可名을 '도라 말할 수 있으면, 이름 지을 수 있으면'처럼 번역했다. 道와 名을 '도라 말하다. 이름 짓다'로 한 것이다. 이는 자의적인 번역이다. 중국 교수조차도 道를 '말하다'로 注한 것을 作謂語로 표현한다. 당연히 우리나라 학자들처럼 확장하지 않는다. 하나 더, 無名者, 有名者를 '이름이 없는 것, 이름이 있는 것'으로 번역했다. 평상의 글이라면 맞다. 하지만, 이것이 노자를 해석한 글임을 감안하자면, '이름이 없음이란 (놈은), 이름이 있음이란 (놈은)'처럼 번역하는 것이 바르다. 즉 이곳의 者는 무명·유명을 받는다는 뜻을 나타내는 한자로, 우리말로 치자면 따옴표와 같다. 이외 도올은, 永遠, 反對, 共感과 같이 우리말화된 외래어가 아닌 常道나 常名을 번역하지 않고 묶어서 한문의 음 그대로 번역한다. 이는 번역이라 할 수 없다. 무슨 보부상 집단의 商道도 아니고, 어감이 좋다고 그대로 쓰는 것은 아니다.

5. 월암은 부분부정과 전체부정을 알았기 때문에, 非常道와 非常名의 문장을 그대로 사용한 것이다. 따라서 저자처럼 '늘 도는, 늘 이름은'으로 번역해야 한다. 이는 旣曰道, 已名之矣를 포함한 이하의 문장에서 증명된다. 반면 도올은 전혀 이 문법을 이해하지 못하고 있다.

뒤에 나오지만, 도올이 칭송한 초원도 상도를 묶어 도와 급이 다른 것으로 취급하는 愚를 범한다.

6. 월암의 글은, 조금만 신경 쓰면, 道가 곧 假名임을 알 수 있도록 쉽게 쓰였다고 생각한다. 물론 문장이 쉬운 것은 아니다. 하지만 도올은 이 글에서 뜻을 읽지 못하고, 엉뚱하게 無名者 常不去 有名者 不可常이라는 문장에 꽂혔다. 앞으로 도올이 주장할 초원의 글과 연관을 짓고자, 常에 마음을 두었기 때문이다. 하지만 도올은 이 문장마저도 문법을 벗어나 번역하고 있다. 그러나 정작 중요한 이유는 따로 있다.[10]

7. 도올의 책에는 이 문장만 있다. 검색으로 월암의 제1장 전체 문장을 번역해보니, 한비처럼 道가 假名임은 알았지만, 이후 '무명 천지 지시'부터는 현학으로 가버렸다. 너무 아쉬웠다. 아마도 왜곡된 통용본으로는 제1장을 완벽히 풀 수 없다 보니 그렇게 간 것 같다. 어쩔 수 없었을 것이다.

[쉼터] 월암은 한비와 달리 제1장 전체를 주해했다. 이에 나머지 부분도 소개한다. 여기에는 노자 全文을 주석하지 않은 이유도 들어있다.

자료는 **인천대학교의 김학목 교수가 낸 「강화학파의 『노자』 주석에**

---

10) 이에 대한 설명은 책 '노자가 옳았다' 제1장 비평 속에 있다.

관한 연구」 논문에서 가져왔다. 월암의 독노자오칙만 내려받아 읽어보니, 도올의 번역처럼 완벽하지 못했다. 둘의 번역으로 추측하자면 최초의 번역이 틀렸던 것 같다. 물론 앞의 번역이 완벽하지 않더라도 후학들이 참고하면서 문장을 완전하게 맞추면 그만이다. 하지만 어떤 이유에서인지는 몰라도 내용을 바로잡지 않고 이어와, 이처럼 계속 엇나가게 된 것이다.

저자도 번역해봐 알지만, 대부분의 漢文章 특히 현학적인 글은 번역이 쉽지 않다. 그래서 몇 번의 검토를 하지만, 완벽히 끝내기는 여간 아니다. 문장의 쉼표 등 표식이 없고 어형변화가 없는 고립어인 한문의 특징 때문이다. 이러한 이유로, 한문의 번역은 사회적 지위와 계급이 높아도 자신들이 실수할 수도 있다는 열린 마음을 가져야 한다. 그래야 한문학은 발전할 수 있다. 하지만 자료를 검색하다 보면 이 부분이 활성화되지 못한 느낌을 지울 수가 없다. 능력 탓인지 동방예의지국 탓인지 잘못된 번역에도 계속 그것이 그것인 번역만 쏟아지고 있기 때문이다.

나머지 번역에 앞서 제1연만 김교수의 번역을 실었다. 이왕 도올의 번역을 비교했기에 다른 분 것도 보여주는 것이 좋을 것 같아서다. 밑줄은 旣曰道 已名之矣 부분인데, 역시 뒤 문장으로 잇고 있다.[11]

---

11) 이 한문장은 독자가 유심히 읽어주었으면 한다. 학계는 보통 矣를 '어조사'로만 생각해 의미없는 뜻으로 취급하는 경향이 많다. 이는 어조사라고 자전에 분류된 것 대부분 그렇다. (已도 문미에 오면 의미 없는 字로 취급하는

「도道는 길[路]이니, 사람들이 함께 따라가는 것이다. 사람들에게 도道가 있는 것은 마치 도로와 같으므로 길[道]로 도道를 설명했다 이미 도라고 말해 벌써 이름을 붙였을지라도 만들어서 갖춘 것이 아니라면, 도는 영원히 이름이 없다. 도라고 하지 않을 수 없지만 영원히 이름이 없다. 이름 없는 것은 영원히 사라지지 않고, 이름 있는 것은 영원할 수 없다. 그러므로 "도라고 할 수 있어서 영원한 도가 아니고, 이름 붙일 수 있어서 영원한 이름이 아니다"라고 했다. 도라고 할 수 있으면 영원한 도가 아니라는 것이고 이름 붙일 수 있으면 영원한 이름이 아니라는 것이다.」

계속해서 2연부터는 월암의 注 그리고 저자의 번역이다.12)

名始於天地, 而有天地之所始, 焉無其名, 而有其物既有矣, 不得不言故曰, 有, 名萬物之母. 雖與物共名, 不可以與物而物之, 乃物之母也. 其曰天地之始, 萬物之母, 乃名之有無耳, 非二言也.

이름(名)은 천지에서 시작한다. 그리고 [유]는 천지가 시작하는 지점인 것이니, 어찌 [無]가 그의 이름이겠는가? (無는 천지의 이름이 절대

경향이 있다) 하지만 저자의 번역만 봐도 矣는 '반어적 용법의 종결형 어미'로 문장의 중요한 요소다. 즉 뜻을 반드시 살려야 한다. 이 오류가 가장 적나라하게 드러난 책이 논어다. 즉 논어는 상당한 문장이 오류 역해다.

12) 이후는 김학목 교수의 번역을 소개하지 않았다. 원문 띄우기나 번역이 저자와 다른 것도 있으니, 한문학을 공부하는 독자는 찾아 비교해보는 것도 좋을 것이다. 이는 다른 인용문에도 해당하는 말이다.

아닐 것이다) 그리고, [유]는 그의 物(그 자체)이니 이미 有(있음)이지 않은가? (그래서 有도 이름이 아니다. 다만) 어찌할 수 없이 말해야 하는 까닭에, [유]로 만물의 어미를 이름한 것이다. (하지만) 비록 物과 이름을 함께했지만, (名이) 物과 함께함으로써 物인 것은 불가하다. (物과 名을 같이 쓰는 것은 불가하다) 이에 (物이 生하고 後에 이름이니) 物이 어미인 것이다. 그것이 천지의 시작이고, 만물의 어미를 말한다. 이에 이름이 [有],[無]일 뿐이지, 두 말은 (본질을 나타내는 이름이) 아니다.

[해설] 제2연 '무명 천지지시, 유명 만물지모' 해석이다. 첫 문장을 바르게 풀었기 때문에, 이 문장 정도는 쉽게 이해했을 줄 알았는데 뜻밖이었다. 有와 無를 왕필은 이름으로 해석하고 있는데, 월암은 유나 무나 이름이 될 수 없다고 해석한다. 그것을 설명하는 방법이 특이하게 느껴진다. 이것을 초원이 현학 쪽으로 더 발전시켜, 유무의 관계를 무에서 유가 生하는 상대적 관계가 아닌 각각 독립된 상관적 관계로 해석한다.

문장에서 월암의 가장 큰 오류는, 어머니의 이름(名)으로 가차한 道와 만물의 名을 구분하지 못했다는 점이다. 즉 도가 가차한 名이라는 것을 이해했으면서도 제32장의 始制有名을 이해하지 못한 것이다. 즉 萬物은 탄생과 함께 道로부터 名을 부여받는다는 老子의 철학을 이해하지 못하고, 物과 名을 달리 본 것이다. 정리하면, 월암의 사고는 '名

은 우리가 물질을 부르는 이름이다'는 것에서 앞으로 나아가지 못했
다.

此爲經之首章, 而第二句便說名, 所以因名辨實, 由顯而識微, 意在
言外者也. 故曰, 此兩者同出而異名, 同謂之玄, 又曰, 玄之又玄, 衆妙
之門 此以心存黙識, 而不可以名言也 自此以下第二至末章, 蓋其名言
之餘耳

이는 도덕경의 제1장인데, 둘째 구절에서 갑자기 이름(名)을 말한
것은, 이름으로 인해 본질을 분별하고, 나타난 것을 가지고서 어렴풋
이 드러난 것을 인식하려는 까닭이니, (즉, 무명 유명으로 본질을 분별하고,
태초 이전과 만물지모의 시기, 즉 나온 것으로 본질을 어렴풋이 인식하려는 까닭이
다) 뜻은 말 밖에 있는 놈이다. 그러므로 '이 두 가지는 함께 나와서
이름이 다르다, 함께 일러짐이 가믈다.'고 했고, 또 '가믄 것이 또 가
므니, 온갖 묘의 문이다.'고 말한 것이다. 이는 마음으로만 말없이 잠
잠한 존재를 알 뿐, 이름으로 말함은 불가하다.(는 의미다) 이 이하 제
2장부터 마지막 장까지는, 대부분 그의 이름으로 말하는 나머지일 뿐
이다. (즉 2장부터는 도라는 말로 설명하는 내용인 까닭에, 존재를 알 수 없을 것
이다.)

[해설] 제1장의 마무리다. 특이하게도 제3연 '고 상무욕 이관기묘,
상유욕 이관기요'의 注가 없다. 저자가 보기로 제1장은 모든 연이 중
요하다. 어떠한 연도 해석하지 않고는 내용이 연결되지 않기 때문이

다. 당연히 문장을 풀고 넘어가야 했다. 그런데 월암은 제3연을 빼 버렸다. 통용본으로는 제1장 전체를 이해하기 어려웠을 것이다. 그래서인지 道가 가차한 名임을 알았으면서도, 정작 가차한 진정한 의미를 알지 못했다. 잠잠한 존재, 즉 형이상은 마음으로만 알 수 있는 것은 당연하다. 그래서 차선책을 말하려는 것이 제3연인데, 유명 만물지모의 2연을 바르게 풀지 못하다 보니 제3연 해석이 불가능 해져버렸다. 대신 제2연을 현학으로 이해하다 보니, 내용은 그것이 아니지만, 단어들이 현학적인 제4연으로 이어버린 것이다. 아쉽다.

이상이 월암의 노자 제1장 해석이다.

첫 문장을 잘 이해했으면서도 둘째 줄 무명·유명에서 뜻을 놓쳐 버렸다. 왜 제2연에 萬物之母가 쓰였는지 심사숙고했다면 하는 아쉬움이 남는다. (사실 문장을 머리에 넣고 많은 세월을 보냈을 것이나 통용본으로는 끝까지 나가기 어려웠을 것이다) 월암이 군이 81장까지 노자 전체를 주석하지 않은 것은, 말미에 있듯이, 제2장부터는 언표된 道를 사용하여 설명하는 까닭에 의미가 크지 않다고 생각했기 때문이다. 즉 본질은 말 밖에 있는 놈이다(意在言外者也)고 해, 결론은 도올과 같이 '도를 도라고 하면 상도가 아닌 것'이 되어버렸다. 만약 월암이 백서갑본 제1장을 만났다면 저자보다 먼저 뜻을 풀지 않았을까! 하지만, 첫 줄 '도가도비상도 명가명비상명'을 가차한 名으로 이해한 것은 높이 사고 싶다.

道가 가차자란 표현이 없어서, 저자의 번역을 의심하는 독자가 있을
지도 모르겠다. 저자처럼 道를 이해한 또 한 명의 조선 학자 초원은
제1연을 주해하면서 假借라는 단어를 쓰고 있는데, 그 문장은 본문
제1장 도올의 글 비평 속에 두었다.

차례

제 1 권

제1장

제 2 권 (소개)

제1장

道者 만물지모, 萬勿者 중묘지문

{통용본}

道可道 非常道 名可名 非常名

無名 天地之始 有名 萬物之母

故常無欲 以觀其妙 常有欲 以觀其徼

此兩者同 出而異名 同謂之玄 玄之又玄 衆妙之門

도가도 비상도 명가명 비상명
무명 천지지시 유명 만물지모
고상무욕 이관기묘 상유욕 이관기요
차양자동 출이이명 동위지현 현지우현 중묘지문

자전 道:길 도, 존재자 도 / 常:늘 상, 항상,영원 / 可:옳을 가(좋다, 할 수 있다) / 之:것 지, 도치문의 삽입, 가목 / 始:처음 시, / 故:까닭 고, 옛 / 欲:하고자 할 욕 / 以:˜써 이(用也),부터, 때문에 / 觀:볼 관, 드러내 보(이)다 / 妙:묘할 묘 / 徼:변방 요 (교), 돌다(循) / 異:다를 이 / 謂:이를 위 / 玄:가믈(검을) 현, 오묘하다 / 衆:무리 중 // 백서본: 嗷:소리칠 교, 眇:애꾸눈 묘 / 胃:밥통 위, 소화하다

道는 도를 해도 좋지만 늘 도는 아니다.
(즉 도란) 이름은 이름으로 해도 좋겠지만 늘 이름은 아니다.

(이름을 모름에도 假名한 것은)

이름이 없으면 천지의 처음(일 뿐)이요,
이름이 있어야 만물의 어머니(로 정의할 수 있기 때문)이다.

까닭에,
(군주는) 늘 하고자 함이 없음(無欲)으로는, 그(道)의 묘(妙)를 봄에
쓰고,
늘 하고자 함이 있음(有欲)으로는, 그의 요(徼)를 봄에 쓴다(고 할
것이다).

이 둘은 같다. 나와서 이름이 다를 뿐이다.
(오직) 함께 이르는 것이 가믈다. 가믄 것이 또 가므니 온갖 묘함의
문이로다.

도를 도라고 말하면 그것은 늘 그러한 도가 아니다. 이름을 이름지우면 그것은 늘 그러한 이름이 아니다.

이름이 없는 것을 천지의 처음이라 하고, 이름이 있는 것을 만물의 어미라 한다.

그러므로 늘 욕심이 없으면 그 묘함을 보고, 늘 욕심이 있으면 그 가생이를 본다.

그런데 이 둘은 같은 것이다. 사람의 앞으로 나와서 이름만 달리했을 뿐이다. 그 같음을 일컬어 가믈타고 한다. 가믈코 또 가믈토다! 뭇 묘함이 모두 이 문에서 나오는 도다!

[도올 '노자가 옳았다'에서]

[짧은 해설]

1. 첫줄 번역은 한문법에 위배되나, 대부분의 주해서도 유사하다. ('도를 도라고 말하면 늘 그러한 도가 아니다. : (사)전통문화연구회, 한비자집해(2)')

2. 두 번째 줄 번역도 문법에 저촉된다. 대부분은 문법 때문에 '이름이 없는 것은', '이름이 있는 것은'으로 번역한다.

3. 세 번째 단락의 '늘 욕심이 없으면(상무욕)'과 '늘 욕심이 있으면(상유욕)'의 주체는 사람이어야 하는데, 도올은 해석에서 道의 두 측면으로 본다.

4. 도올 번역과 저자의 번역을 비교하면 특징이 있다. 저자는 漢文文章으로만 번역 후, 문장의 이해를 돕기 위해 주로 이어주는 관계사나 생략된 주어 등을 최소한으로 보강해주는 반면, 도올은 이어주는 말의 사용이 적은 대신, 없는 말을 넣어서 많이 번역한다. 즉, 제1연에서 '그것은'이나, 제4연에서 '사람의 앎으로'처럼 없는 문장을 넣는다.

5. 漢文은 이어주는 관계사 등을 많이 사용하지 않아, 이로 인해 전후 문맥이 매끄럽지 않은 경우가 발생한다. 이를 방지하고자 저자는 문법에 맞게 번역하고 대신 이어주는 말을 넣었다. 반면 도올은 바로 문맥을 이으려고 했다. 이 경우의 문제는 한문법을 벗어나는 문장이 나올 개연성이 높아진다는 것이다. 그리고 문법을 벗어난 문장은 어디에서든 화자의 뜻을 벗어날 소지가 다분하다.

저자가 올린 고명의 백서노자교주만 봐도, 중국은 말을 잇는 관계사를 거의 사용하지 않는다. 그들의 언어적인 특성이라 딱히 할 말은 없다.

{왕필의 주를 따른 문장 띄우기 및 번역}

道可道, 非常道. 名可名, 非常名.

無, 名天地之始. 有, 名萬物之母.

故常無, 欲以觀其妙. 常有, 欲以觀其徼.

此兩者同出而異名, 同謂之玄, 玄之又玄, 衆妙之門.

[번역]

도(道)라고 말할 수 있는 것은 도가 아니고, 이름 붙일 수 있는 것은 이름이 아니다.

무(無)는 천지의 시작으로서의 도에 이름 붙인 것이고, 유(有)는 만물의 어머니로서의 도에 이름 붙인 것이다.

그러므로 언제나 무(無)의 측면에서 그 은미함을 볼 수 있고, 언제나 유(有)의 측면에서 그 드러남을 볼 수 있다.

이 두 가지는 같은 곳에서 나왔으나 이름이 다르다. 같은 곳에서 나온 것이니 이를 현묘하다고 한다. 현묘하고 현묘하구나, 우주 만물의 이치와 현상이 나오는 문(門)이다.

[2022.11.현재, 나무위키, 노자 속 번역 인용]

[짧은 해설]

1. 띄우기는 왕필의 注에 근거한다. 왕필은 노자를 玄學書로 해석한

다. 통상의 띄우기와 비교했을 때, 2칸과 3칸의 띄어 읽기가 다르다.

2. 학계는, 앞 도올같이, 첫 줄의 2번째 道와 名을 '(도라) 말하다'와 '부르다'처럼 통상의 훈이 아닌 훈으로 번역한다.

3. 백서본이 발견된 이후, 노자를 현학서로 주장하는 학자들 대부분 두 번째와 세 번째 연의 띄우기를 저자처럼'無名, 天地之始, 有名, 萬物之母. 故常無欲, 以觀其妙, 常有欲, 以觀其徼'로 하지만, 첫 줄의 번역과 해석을 고치지 않아 결국은 왕필의 해석 방향으로 맞추고 있다.

4. 백서본은 통용본과 달리 문장에 '어조사 也'가 많이 들어있다. 3번과 관련된 이에 대한 설명이다.

　　가. '可道'와 '可名' 뒤에 也가 들어감으로써 우리가 흔히 알고 있던 해석("도를 말할 수 있으면 항상된 도가 아니고, 이름을 부를 수 있으면 항상된 이름이 아니다.")은 언어학적으로 성립할 수 없게 된다. 당시 중국어의 문법상 불가능한 풀이가 된다. 추시구이(裘錫圭)는 백서본을 "도(노자의 도)는 말할 수 있으나, 통상적인 도가 아니다. 이름(도의 이름)은 부를 수 있으나 통상적인 이름이 아니다."라고 해석한다. ≪老子今硏≫ 98~101쪽.

　　나. 也가 들어감으로써 無와 有 바로 뒤에서 구절을 끊는 것보다 '無名'과 '有名' 뒤에서 끊는 것이 더 자연스러워진다.

　　다. 고전한문에서 A,B 也 = "A는 B이다"로 번역된다.

[블로그, 월운 어학당, 제1장 풀이 中, 편집]

{백서본}

[갑본]

道可道也 非恒道也 名可名也 非恒名也

无名 萬物之始也 有名 萬物之母也

[故]恒无欲也 以觀其眇, 恒有欲也 以觀其所噭

兩者同 出 異名同胃 玄之有玄 衆眇之[門]

[을본]

도가도야 비상도야 명가명야 비상명야
무명 만물지시야 유명 만물지모야
고항무욕야 이관기묘 항유욕야 이관기소교
양자동 출 이명동위 현지유현 중묘지문

道可道也 [非恒道也 名可名也 非]恒名也.

无名 萬物之始也 有名 萬物之母也

故恒无欲也 [以觀其妙] 恒又(有)欲也 以觀其所噭(徼)

兩者同 出 異名同胃 玄之又玄 衆眇(妙)之門

[인트로] 백서본은 훼멸이 심하다. [ ] 표기는 훼손되어 보이지 않는 글자를 상대(갑,을)본이나 통용본을 보고 보충한 것이고, 을본의 ( )는 중국측이 이체자나 오기로 판단해서 고친 것이다. (갑은 저자가 넣지 않음) 저자는 백서을의 恒又(有)欲也 외 이체자는 없다고 보는 입장이다. 특히 제1장의 원본은 백서갑이다.

{甲本 전문 번역}

道는 도를 할 수 있다 함이나 늘 도는 아니다 함이라. (즉 도란)
이름은 이름을 할 수 있다 함이나 늘 이름은 아니다 함이라.

(우리가 이름을 알 수 없음에도 道라고 가명한 것은)

(道라는)
이름이 없다면 만물의 시원인 것이다 함(일 뿐)이지만,
이름이 있다면 만물의 어머니인 것이다 함이라(고 정의할 수 있기
때문이다).

그러므로
늘 하고자 함이 없다(無欲) 함으로는, 그의 묘(眇)를 봄에 쓰고,
늘 하고자 함이 있다(有欲) 함으로는, 그의 외치는(噭) 바(곳,방법,
것)를 봄에 쓸 수 있다.

둘(道와 萬物)은 같다.
나와, 이름이 달라졌지만 소화됨은 같다.
가믄 것(만물)이 가믈기(道)를 보유했으니, 온갖 묘의 문이로다.

[짧은 해설]

1. 통용본은 '어조사 也'를 많이 생략했다. 也는 문장을 종결 또는 단정하는 의미로 사용되며, 문미에서는 '함이다'로, 문중에서는 '함은'처럼 번역한다. 오늘날 어조사는 의미가 많이 중복되었지만, 老子 시절만 해도 구분이 명확하다.

2. 통용본의 常, 無, 謂가 백서본에 恒, 无, 胃로 쓰였다. 학계는 중국측을 따라 胃도 의미가 다른 謂로 고치나, 저자는 胃(소화하다)를 원문 그대로 두었다. 이미 초간노자에서 주석했다.

3. 갑본 玄之有玄이 을본과 통용본에는 玄之又玄으로 쓰였다. 중국측은 통용본을 따라 갑본의 有를 又로 해독했다. 동사로서의 의미는 비슷하나 갑본의 有(소유하다)를 따랐다.13)

4. 제1장은 초간본에 없다. 중국측은 이에 초간본을 텍스트본, 요약본 등으로 보다가, 최근에는 초간본과 통용본 노자의 2가지 부류로 전해 왔다거나, 백서본은 초간본의 주석서였을 거라고 주장하는 기류다. 이와 달리 저자는 처음부터 초간노자만이 노자의 글이며 백서본은 주

---

13) 중국측은 곽점초묘죽간에서 又로 쓰인 것을 모두 有의 古字로 보고 고쳤다. 실재 字典도 古字로 표현하고 있다. 그런데, 이곳은 반대로 갑본의 有를 을본과 통용본을 따라 又로 고친다. 즉 중국측의 주장으로 보자면, 又→有→又로 진행된 꼴인데, 이는 비논리적이며 객관성도 없다. 저자가 죽간을 번역·검토한바, 의미는 비슷하나 차이도 있다. 즉 又(움켜쥐다), 有(소유하다)로 구분하는 것이 옳다. 참고로 곽점초간에서 又는 동사로 쓰였으며, '성지문지'편에서는 有와 같이 나온다. 이는 又와 有가 다름을 의미한다.

석서가 될 수 없다고 본다. 즉 백서본은 史記의 노장신한열전에 나오는 후대의 가짜 노자들-노담, 노래자, 태사 담-이 내용을 수정·보강하여 만든 것으로 판단한다.

5. 백서본 노자로 고친 이들은 초간노자 즉 원본 노자를 봤다. 초간노자의 모든 문장이 빠짐없이 似而非처럼 고쳐져 백서본에 들어있기 때문이다.

6. 초간노자는 깨우친 성인이 형이상인 道로부터 출발하여 쓴 한편의 정치 논문이다. 이것이 백서본으로 넘어오면서, 군주는 논외의 절대적 존재가 되어 군주의 자질론은 변질되거나 사라져버린다. 이에 따라 정치(통치)론도 깊이가 달라졌다. 또 초간노자의 한 주제이기도 했던 '아는 자(관료)'에 대한 언급이 백성으로 대치되고, 현학적인 문장과 일반 처세(수양)의 글이 보강되었다. 이는 필연적으로 내용의 불합리성을 가져왔고, 관점에 따라 현학이나 개인 수양을 다루는 철학서로 변질되어 읽히게 되었다. 왕필이나 하상공은 그 일조자들이다.

7. 중국 역사는 왜곡의 역사다. 전해져 오는 성현의 古書들도 마찬가지다. 노자 역시 초간본, 백서본, 그리고 통용본만 비교해도 변질되었다. 이는 아마도 춘추전국시대를 거치면서 각자도생이 한족의 지상과제가 되면서 DNA에 자연스럽게 자리한 현상으로 보인다. (왜곡은 '공자의 정치론 항백'에서 증명했다.)

8. 저자는 백서본의 한자를 통용본의 한자로 석문·주석한 중국의 관점과 다르다. 즉 '애꾸눈, 자세히 보다 묘眇'나 '부르짖고, 울고, 외칠 교嗷'와 갑본의 현지유현의 有는 이체자가 아니다.

9. 통용본 제1장은 백서본 제2연의 무명만물지시를 무명천지지시로 고치면서 내용에 변화를 준다. 즉 제2연의 만물을 천지로 바꾸면서 우주론을 연상토록 만들었다. 이는 3연과 4연의 주석을 어렵게 만드는 시발이 된다. 즉 같은 萬物로 쓰인 것을, 통용본이 앞을 천지로 바꾸면서 번역과 해석에 혼란을 가져오도록 만들었다.

제1장 道者萬物之母 萬物者衆眇之門

{본문 해설}

　예전 같으면 이 역해서를 세상에 내는 것에 주저했을지도 모른다. '도가도비상도 명가명비상명'을 '도는 도를 해도 좋지만 늘 도는 아니다'로 번역하고서 아무리 논리적인 설명을 해도, 이미 현학에 심취한 독자에게는 하룻강아지의 객기쯤으로 취급되었을 것이기 때문이다. 그러나 이번은 자신이 좀 붙었다. 앞서 소개했듯이 道를 假名으로 주석한 古人이 3명이나 있기 때문이다. 저자처럼 이해한 고인이 3명이나 존재했음을 알았을 때의 기쁨은 지금도 뭉클하다.

　그중 조선의 학자 2인은 도올의 책에서 발견했는데, 같은 漢文章임에도 저자는 찾고 도올(및 다른 교수)은 발견하지 못한 것은 번역의 차이 때문이다. 즉 도올은 저자와 다르게 띄우기 및 훈을 사용해 번역했다. 비평은 이런 글을 비교하면서 다각적으로 할 것이다.

총 4연으로 구성된 제1장의 문장은 3연까지 대구형식의 시문처럼 쓰여 매우 아름답다. (물론 초간본을 기준으로 한다면 3연은 약간 대구형식을 벗어났지만 대신 4×4로 된 4연까지도 너무 아름답다.) 특히 제2연의 만물지모와 마지막 제4연의 중묘지문을 향해 치닫는 문장의 전개 방식은, 진본 노자가 아님에도 감탄을 자아내게 한다. 내용의 측면에서도 훌륭하다. 가차한 道의 개념 및 만물과의 관계 그리고 인식에 관한 글로 노자 정치론의 철학적 정의를 담당한다. 즉 형이상의 존재론과 그 인식론의 선언문적인 글이며, 백서·통용본의 노자 정치론은 제1장의 철학적 토대 위에서 전개되는 것이다.14)

제1연은 道의 개념 정의로써 名에 관한 것이다. 제2연은 假名의 중요한 이유인 萬物之母로서의 도에 대한 정의이다. 제3연부터 마지막까지는 萬物之母로 정의된 道의 인식에 관한 글로, 3연은 道의 象(마음)을 볼 수 있는 방법이 소개되고, 이는 제4연의 중묘지문으로 완성된다. 초간노자의 뜻과도 상통하며 철학적으로는 이원론적 일원론에 대한 老子의 깨우침과 시각이 들어있다.

이 장은 후반부가 문장의 이면에 뜻이 숨어있는데, 하상공이나 왕필이 첫 문장인 '도가도 비상도'부터 엉뚱하게 주석하는 바람에, 이면에 뜻이 있는 후반부 마지막까지 현학의 글로 주를 해버렸다. 이후 세상

---

14) 초간노자에서는 제11편이 존재론에 관한 글이다. 통용본에서는 제25장에 두는데, 고문자를 고쳐 뜻이 많이 희석되었다.

은 수많은 해석이 난무하는 玄學의 길로 들어가 버렸다. 즉 왕필로 하여금 첫 단추를 잘못 끼게 하여 도덕경이 현학으로 보이게끔 하는데, 중요한 역할을 한 장이다. 그리고 지금도 중국 玄學派가 經學系의 주류가 되어 학문을 주도하다 보니, 왕필의 주는 계속해서 세계로 퍼져 가고 있다.

곽점초묘죽간'의 '노자'를 보지 않았다면, 이 장은 없어서는 안 될 정말 중요한 문장이라고 생각할 것이다. 저자도 그랬다. 초간본을 보지 않은 상태에서 절대 없어서는 안 될 장이라며 도리어 초간본을 부정했었다. 하지만, 초간본을 역해하면서 노자는 근본적으로 왜곡되었다는 것을 알았다. 즉 성인이 쓴 유일한 정치서(통치서, 군주론)인 초간노자는 일찍이 丙本의 異本부터 글자가 고쳐지고 첨삭되어 안빈낙도와 같은 개인의 삶의 글이나 깨우침에 관한 형이상인 현학의 내용으로 왜곡되었다. 내용이 다양하다 보니 잡학서로 보는 시각도 있다. 다만 원본 노자의 내용이 획기적이다 보니 노자가 집필되고 처음에는, 문장을 좀 더 설명하려고 확장하는 쪽(백서갑 제1장 기준)과 왜곡하려는 쪽(병본의 이본 등)이 혼재했던 듯 보인다.15) 아무튼, 제1장은 삽입된 장이지만 초간노자를 이해한 완벽한 내용이며 대구형식의 빼어난 글이다.

제1장은, 저자의 시각에서, 문장이 명확히 4개 연으로 구분되고 뜻

---

15) 어찌되었든 진본을 고친 것임으로 이후는 왜곡으로 통칭한다.

도 제1연부터 마지막 연까지 물 흐르듯 이어져 衆眇(妙)之門으로 막을 내리는 그리 어렵지 않은 글이다. 하지만 왕필의 注를 추종하는 노자 주류학계인 현학계가, 내용을 너무 심오하게 생각한 나머지 내용도 복잡하고 뜻도 어렵게 해석해, 저자의 해설도 4개 연으로 나누어 연 단위로 하였다.

제1연 : 道는 가차한 이름(名)이다

통용본 : 道可道, 非常道. 名可名, 非常名.

백서본16) : 道可道也, 非恒道也. 名可名也, 非恒名也.

공통 : 도는 도를 해도 좋다지만 항상 도는 아니다. 이름은 이름을
할 수 있어도 영원히 이름은 아니다.

老子 이전부터 천지·만물의 어머니를 道로 불렀다. 즉 모든 賢者나
哲人들은 만물의 어머니인 그 무엇을 道라고 했다. 그래서 마치 도가
바로 천지·만물의 창조주인 그 무엇의 이름처럼 되었다. 그러나 老子
의 생각에 이름(名)은 곧 온전한 전부를 지칭하는 것이어야 한다. 즉
'삽'하면 이미지와 쓰임이 통일되는 것과 같이, 어떤 쓰임을 위해 처음
제도 된 경우(始制有名) 가능한 이야기이다. 즉 나고 죽고, 시작과 끝
이 있고, 역할이 정해진 것(규정됨)을 전제한다. 그런데 천지·만물의
어머니인 그 무엇은 천천만만의 모습으로 天地가 나온 것보다 먼저고,
누가 앞서 있어서 자신(道)을 만들지도 않았기에, 즉 규정할 수도 알
수도 없어 우리는 이름(名)할 수가 없다. 스스로 인연의 실을 내어 만

---

16) 백서는 갑본과 을본이 있다. 합본으로 쓰되 필요시 구분했다.

老子의 도덕경 123 (1)

물의 어머니(道)가 되었고, '스스로 그러함(自然)'인 자신의 법칙성을 따를 뿐, 영원히 이름을 잃어버린(道恒亡名) 존재자여서 우리는 영원히 알 수 없다.

하지만, 논하기 위해서는 이름을 불러야 한다. 그것도 그냥 이름이 아니라, 부르면 그를 알 수 있는 이름을 불러야 한다. 이름은 곧 그를 표현하는 규정성을 내포해야 하기 때문이다. 즉 필요충분조건인 그것이 그것인 이유(전체)여야 한다. 바로 그 뜻을 표현한 것이 제1연의 문장이다.

만물의 어머니인 그 무엇의 이름으로 세상에 회자되고 있는 道란, 老子 역시 의미상으로 가장 어울리는 단어(이름)라고 생각해 부르겠지만, 道로 표현한 만물의 어머니인 그 무엇은 영원히 名(이름)을 잊은 (恒亡名인) 까닭에 항상 도라고 할 수 있음은 아니다. 즉 도는 만물의 어머니인 그 무엇의 이름으로 적절한 규정·정의이기는 하지만 어디까지나 假借한 것일 뿐, 도라는 이름은 만물의 처음이며 어머니인 그 무엇의 영원한 이름은 될 수 없다.[17]

道와 名의 절은 동일한 내용이다. 즉 道는 名이다. 까닭에 두 문장은 道名可道名 非常道名과 같이 하나로 할 수 있다. 즉 '도란 이름은 도란 이름을 할 수 있다지만 항상 도란 이름은 아니다'가 된다. 이렇

---

17) 이를 통용본 제25장에서는 名대신 字로 표현했다.

게 할 수 있는 이유는 道가 곧 가차한 名이기 때문이다.

이것이 제1연의 해석 전부다. 그 이상의 깊은 뜻은 없다. 간단하지 않은가?! 하지만 현학계는 이것을 이해하지 못한다. 현학계의 대표급인 왕필이 엉뚱하게 해석한 것이 발단이기는 하지만, 너무 쉬운 내용이다 보니 '설마 그럴 리가'라고 생각하는 모양이다. 그들은 제1연에서 노자의 모든 것을 쏟아낸다. 대신 제2연의 '무명만물지시야 유명만물지모야'를 '무, 명만물지시야 유, 명만물지모야'로 띄워 無와 有를 이름(名)으로 번역해 버린다.

道可道 非常道 : 도는 도를 할 수 있다. (하지만) 항상 도는 아니다.

도덕경의 문을 여는 첫 문장이다. 저자의 번역문을 보면 알겠지만, 번역에 있어서 이 문장은 상상의 나래가 필요없는 곳이다. 그냥 한문법에 맞춰 번역하고 나서, 노자에 나온 道와 名에 관한 문장들과 연결지어 이해하면 끝이다. 그 이상 어떤 해설도 사족에 불과하다. 당연히 여기서 사용한 3번의 道는 모두 똑같은 의미의 '길 道'이자 萬物之母인 존재자의 임시 名일 뿐이다. 즉 도가 맞는 보이나 늘 도는 아닌 것이다.

하지만 중국의 왕필 및 하상공의 주석으로 연구하는 玄學쪽 학자들은, 대부분 '도는 말 할 수 있다면, 늘 한결같은 도가 아니다' 또는, '도를 도라고 부르면, 이미 그것은 상도가 아니다'라는 식으로 번역한다. 즉, 여기에 나온 3개의 道와 常을 다르게 풀이한다. 이런 번역은 중국측이 그렇게 주석한 이후 오늘날 대부분의 학자가 역해하는 방식이기 때문에, 검색만 해봐도 금방 알 수 있다. 도올 역시 이렇게 번역하고 있다.

왕필이나 도올이 이렇게 번역한 것은, 문장이 너무나 간략한 언어로 도를 정의만 하였기에, 다음에 이어지는 '명가명 비상명'과 연결 짓지 못하고, 老子가 도대체 이 말을 첫 일성으로 왜 했으며 뜻이 무엇인지를 알지 못하기 때문이다. 당연하다. 노자의 첫 문장인 이것만 가지고는 정확히 노자가 말하고자 하는 뜻을 바로 읽어내기는 어렵다. 왜냐하면, 도에 대한 개념 정의라는 생소한 내용의 글이어서, 해석은 노자 전체를 통관해야 할 수 있기 때문이다. 그래서 더욱더 문법과 바른 훈으로 번역에 충실할 필요가 있다. 문법을 벗어난 글은 문장이 될 수 없다.

저자가 '도가도 비상도'를 다르게 역해한다는 사실을 알고는 있었지만, 이 문장이 역대로 해석이 어렵고 난해하고 곡해가 많다는 것은, 강의자료를 만들 요량으로 내려받은 제1장 강의를 듣고서다. 이전까지 문장으로 읽어온 저자는 전체 노자가 그리 어렵지 않게 읽혀서, 그렇게까지는 문제가 될만한 내용이 아니라고 생각했었다. 그런데 아니었다. 도올은 아예 (非)常道에 꽂혀 동서양의 많은 철학과 종교를 이 常에 수렴하고 있다. 뒤에서 자세히 비교하겠지만, 玄學的 입장인 왕필과 하상공의 상도를 취한 것에 초원의 주를 더하여, 이곳 常道를 동양의 종교 및 철학의 기원으로 삼아 토로하고 있다.

해석은 깊이가 달라졌어도, 저자의 번역은 이미 20년 전에 했던 방식이다. 하지만 여태 저자를 따르는 역해자를 보지 못했다. 그런데 강의자료를 모으는 중에 우연히 저자처럼 해석한 기원전 진나라의 한비를 만났다. 정말 우연이었다. 문장은 이미 세상에 회자되고 있었는데, 강의 내용이 어설퍼서 저자가 직접 번역해보니, 기존 번역이 틀렸을 뿐이었다. 이는 한비의 注가 한문 문장이다 보니, 우리나라에서 최초로 번역한 어떤 학자가 훈을 잘못 사용하여 뜻이 틀어지게 된 때문으로 보인다. 중국측도 한비의 글을 비주류로 취급하는 듯 해석의 중심에 놓고 있지 않다. 한편 도올 책에 나온 우리나라 학자의 글도, 저자만 몰랐지 얼마 전부터 꽤 역해되어온 문장이었다. 이 역시 최초 번역을 잘못한 이후 걸러지지 못하고 그대로 이어져 왔던 모양이다. 소중한 내용이어서 이미 [미리보기]로 다루었고 초원은 내용에서 언급했다.

현학 쪽은 여기의 常道를 도와 다른 무엇으로 생각한다. 중국측의 관점이 잘 나타나 있는 高明의 책 [帛書老子校注]의 '도가도비상도 명가명비상명'의 注에서도 그렇게 취급한다. 여기에는 또 왕필 및 하상공의 주가 소개되고 뜻도 풀이되어 있어 그들의 여러 가지 論調를 알 수 있다. 예로 道를 '말하다'로 훈을 한 것은, 우리가 아니라 중국 현학계가 최초라는 사실, 나아가 그들의 논조가 우리 사상사의 주류로 흡수되었다는 것도, 도올의 학문도 그 범주의 안이라는 것도 충분히 예측할 수 있다.

名可名 非常名 : 이름은 이름을 할 수 있다지만 늘 이름은 아니다.

'명가명 비상명'은 번역과 해석에 답이 없을 정도로 풀이가 다양하다. 앞말 '도가도 비상도'와 대구를 이루면서도 설명글 하나 없다 보니 그런 것 같다. 즉 대부분의 역해자는 이 문장을 앞 문장과 다른 별개의 글로 생각한다. 이 역시 왕필 및 하상공의 注 영향이 크다. 그들의 주를 보면, 이 문장이 앞 문장의 부연설명인지를 모르고 두 문장을 같은 급의 다른 글로 이해하고 있다. 하지만 이 말은 앞 문장의 부연이자 재론으로 名은 곧 道다. 다만 항상 名이 道인 것은 아니다.

老子가 이름이 불가능한 만물의 어머니인 '무엇'을 道라고 이름한 이유는 무엇인가? 간단하다. 한비의 문장을 빌리자면, '논의(토론)를 할 수 있기 때문'이다. 즉 이름할 수 없는 것을 이름한 것은, '그렇게 하고서야 토론이 가능하기 때문(然而可論)이다'.

현학 쪽은 이 문장을 '도가도 비상도'보다 더 어려워한다. 道가 곧 名인지를 모르고, 누군가를 부르는 이름으로만 생각하기 때문이다. 이 경우, 앞 道와 마찬가지로 2가지의 다른 이름(名)을 만들어 내야 하는데, 이게 거의 불가능하다. 즉 常名(영원한 이름)을 만들어 낼 수가 없다. 그래서 그쪽 사람들의 해석특징은 '도가도비상도'는 엄청나게 길게 설명하면서도, '명가명비상명'은 간략히 언급하는 선에서 넘어간다. 도올도 '사실 평생을 『도덕경』과 함께 살아온 나도 이 구절을 반추해보면 볼수록 해석이 어려운 구석이 있다.(p32)'고 하면서 반쪽 분량 정도다. 도가도비상도에 비하면 없는 것이다.

제1연에서 중요한 논제는 크게 2가지로 보인다. 첫째, 名은 도와 어떤 연관이 있으며 무엇을 의미하는가? 둘째, 名은 인간 등 만물의 이름을 예로 든 것인가, 앞의 도를 부연하는 것인가? 이다.

저자는 '어떤 것'을 나타내는 名을 이름으로 번역하면서 규정성으로 해석했다. 이는 道란 이름은 규정을 내포하고 있다는 의미다. 다만 이름은 그것이 그것인 이유요 존재의 필수 불가결한 요소 즉 그것의 전부인 반면, 규정은 전체인 名이 표출하는 여러 가지를 나타내 정의할 수 있는 것도 여러 가지다. 즉 이름이 體면 규정은 用이다. 예로 제1장에서 萬物之母는 道의 규정이지 이름은 아니다. 다만 道도 우리가 지어 부르는 형이상의 이름이기에 하나의 규정처럼 느껴지는 것이다. 인간을 예로 들면, 사주가 名이고 지닌 몸은 名에 가장 근접한 동질의 존재다. 그리고 사회에서의 사장·아버지·남편·동창, 호명할 수 있는 이름 등이 규정이다. 즉 名은 존재자인 그 자체여서 죽을 때까지 고정성인 반면에 규정은 변할 수 있다. 다만 규정도 이름(名)을 대신할 수 있는 까닭에, 우리는 호명해도 대답하고 사장님 해도 대답하고 아버지

해도 대답한다. 그 시점에 이름이고 사장이고 아버지라면.

두 번째로 여기의 '명가명 비상명'은 앞의 도에 대한 설명이지 형이하인 萬物의 名을 설명한 것이 아니다. 즉 이곳의 名은 알 수 없는 존재자의 이름을 우리가 지어 부른다는 道며, 그래서'늘 도라는 이름은 아니다'라고 한 것이다. 바로 이 부분을 현학자들이 넘지 못하는데, 제1연의 名을 만물에 붙인 名으로 이해하여, 보통 해석을 이름으로 풀이하는 것이다. 이번 도올도, 대부분 현학자처럼, 설명이랍시고 자신의 이름을 예로 들어 이 문장을 설명한다. 하지만 우리가 이름을 짓든 바꾸든 다르게 부르든 어떤 식으로 정의하든 이곳의 名이 아니다. 더욱이 노자에서 말하는 형이하의 名은 호명할 수 있는 이름 그 이상의 것, 즉 그것이 그것인 이유(고유성·존재성)를 뜻한다.[18] 더하여 사물의 名에 관한 개념 이야기는, 이명동위에는 들었지만(제4연), 훨씬 뒤에 나온다.

지금까지 처음 두 개의 문장(1연)을 해석했다. 여기까지만 해도 기존과 너무 차이나는 해석이어서 도덕경을 깊이 읽어본 독자라면 당혹감도 있을 것이다. 그러나 이는 시작에 불과하다. 제1장이 끝나는 중묘지문까지 더하여 제2,3장까지 지금껏 보지 못한 새로운 뜻을 읽게 될 것이다. 모두 전에 없던 내용이다. 즉 지금까지 독자가 전혀 접해

---

18) 사람이 마음대로 改名할 수 있는, 지어 부르는 名은 도가 부여한 名이 아니다.

보지 못한 해석일 것이다. 부디 도덕경을 알고 싶은 독자는 비판의 눈으로 비교·고찰 해주기를 당부한다. 여러분이 읽은 지금까지의 노자는 대부분 중국 위진남북조 시대의 현학적 사조인 왕필의 注를 쫓는 노자 해석서를 읽었을 뿐 老子의 글이 아니었다.

[쉼터1] 도가도비상도의 번역은 크게 4가지로 구분할 수 있다. (왕필·초원식 번역은 注를 유추한 것이다.)

ⅰ. 왕필 식 : 도(道)라고 말할 수 있는 것은 (참) 도가 아니다.

ⅱ. 도올 식 : 도를 도라고 말하면, 그것은 늘 그러한 도(상도)가 아니다.

ⅲ. 초원 식 : 도는 도를 할 수 있다지만, 상도(영원한 도)는 아니다.

ⅳ. 저자 식 : 도는 도를 해도 좋지만 늘 도는 아니다.

[해설] 'ⅰ'은 常의 훈을 생략하거나 진짜 도가 아니라는 의미로 번역하고자 '참'을 넣는다. 문법을 지키고자 처음의 道를 '도라고'로 번역한 것이 특징이다. 예전 학자들 번역 방식으로 현학적 입장이다. 'ⅱ'는 현재 우리나라 대부분 학자 방식으로 현학적인 입장이다. 'ⅲ'은 유일하게 초원만 이런 식으로 이해했고, 'ⅳ'는 한비, 월암의 관점이다.19)

---

19) 다만, 도가도비상도를 저자처럼 이해한 월암, 초원도 제2연 '무명천지지시 유명만물지모'부터는 현학으로 읽었는데, 이는 道라고 한 이유(그러고서 논의할 수 있다)를 도덕경 전체로만 생각하고, 정작 이 장의 중요한 이유인 '만물의 어미'로 규정한 것은 연결하지 못했기 때문이다.

老子의 도덕경 123 (1)

[쉼터2] 道가 '가명이자 규정'임을 노자의 문장으로 찾아보기.

道可道 非常道 名可名 非常名 (제1장) : 自古及今 其名不去(제21
장) : 吾不知其名 字之曰道(제25장) : 道常無(亡)名…始制有名 名亦
旣有(제32장) : 道隱無名(제41장) : 名與身熟親({竹盲}新)(제44장)

(1장) 번역 생략 : (21장) 예부터 오늘날까지 그의 이름이 떠나지
않아 : (25장) 나는 그의 이름을 알지 못한다. 字가 가로되 도다. :
(32장) 도는 영원히 이름을 잊었다.…처음 만들어지면 이름이 있다.
이름은 또한 이미 있음이다. : (41장) 도는 숨었으니 이름이 없다. :
(44장) 이름과 함께하는 몸은 한결같은 두터움이 가까움이다.[20]

제1장의 문장은 道를 할 수는 있지만, 항상 道(名)는 아니다는 것이
고, 제25장의 문장은 名을 알지 못해서 字를 道라고 한다는 말이다.
그리고 제32장, 제41장은 道는 곧 名이 '아니다'는 말이다. 이 문장이
서로 모순이 없으려면 名은 항구적이고 字는 임시적이어야 해, 道는
임시적인 이름(假名)이어야 한다. 즉 도는 가명이다.

한편 제32장, 제44장은 名이란 단순히 우리가 붙이는 그런 '이름'이
아니라, 그 무엇이 그 무엇인 '존재'로 보고 있음을 알 수 있다. 즉 이
름을 고치고 우리의 얼굴을 성형해도 이미 '고정된, 역할이 규정된 무
엇'을 뜻한다. 이는 여기의 名이 단순한 이름이 아니라 形狀(본질·고유

---

20) 초간노자에는 제25장, 제32장, 제44장만 있다. 3개 장에서 名의 개념을 읽
   을 수 있으나, 이도 저자처럼 번역할 경우다. 통용본 한자는 많이 첨삭·수정
   되었다.

성)을 말함을 뜻한다. 즉 道의 입장에서 사람의 名이란 고정된 四柱고, 그걸 지닌 몸(身)은 가장 가까운 존재다. 즉 名과 몸은 한 나무에서 쪼개진 땔나무처럼 불가분의 관계다. 이하, 설명 시 혼용한다.

지금까지 이것에 대해 생각해보지 않은 독자는 저자의 설명에 의문을 표시할 수도 있을 것이다. 그래서 〈논어〉의 문장을 가져왔다.

齊景公問政於孔子, 孔子對曰 "君君, 臣臣, 父父, 子子." 公曰 "善哉! 信如君不君, 臣不臣, 父不父, 子不子, 雖有粟, 吾得而食諸?"

이 漢文章은 공자와 제나라 군주인 경 사이에 주고받은 政事에 관한 유명한 글이다. 문장 중 제경공의 질문에 공자는 '군주는 군주다워야, 신하는 신하답게, 아비는 아비답게, 자식은 자식다워야 합니다.'라고 답한다. 우리는 이것을 공자의 대표적인 正名論이라고 한다. 名을 나타내는 것이 없지만 정명론이라고 부르는 것이다. 그럼 이때의 名이 이름인가? 아니다. 군주, 신하, 부모, 자식이 이름은 아니기 때문이다. 이때의 名은 '각자의 위치, 그에 맞는 역할 등을 뜻하는 규정'을 의미한다. 즉 정명론은 이름을 바로 잡는 이론이 아니라, 諸 신분의 사람들이 주어진 역할(名)을 하도록 바로 잡는(正) 이론이고, 이것이 '정치'라는 얘기다.

오늘날 우리는 이것이 正名論임에 이의를 제기하는 사람은 없다. 또 저자는 앞선 책에서 정명론은 공자의 정치사상이 아니라 老子의 정치사상이라 했었다. 老子는 공자보다 앞선 사람이라는 것이 세상의 중론이고, 책 노자가 있는 까닭이다. 정명론은 당연히 노자의 사상이다. 세상이 노자를 이해하지 못했을 뿐.

[쉼터3] 도올과 저자의 번역은 常의 품사가 다르다.

즉 현학 쪽은 도올처럼 '영원한'의 형용사로 보는데 반 해 저자는 '영원히'의 부사로 본다.

부정어(非,無,不 등)+常·必[전체를 뜻하는 빈도부사]+道(내용)는 부분부정을 표현한다. 그러므로 '늘 도는 아니다. (즉 다른 것도 가능하다)'라는 뜻이다. 반면, 必·恒[전체를 나타내는 빈도부사]+부정어(非,無,不 등)+欲(내용)은 전체를 부정한다. 까닭에 '항상 하고자 함이 없다면'이 된다.

하지만 도올처럼 현학 쪽 사람들은 대부분 常(늘)無欲은 부사로 번역하면서, 非常(영원한)名은 형용사로 번역한다. 어쩌면 老子는 비상도의 常을 이처럼 형용사로 해석하는 사람이 나올까 봐, 제1장에서 부분부정(비상도)과 전체부정(상무욕)의 문장을 같이 사용했는지 모른다. (아마 그랬을 것이다) 그리고 이 방식을 그대로 따라 노자를 주석한 우리나라 학자가 월암이다. 이 문법은 별도로 다시 다뤘다.

[쉼터4] 통용본의 常道가 백서본에는 恒道로 쓰여 있다.

중국의 경학자 高明이 쓴 책 帛書老子校注에 보면, 전한시대 초 문제의 이름이 유항인데, 당시에는 군주의 이름자를 쓰지 않는 피휘법이

있었다. 까닭에 백서 갑·을본은 최소한 漢나라 효문제 이전에 쓰인 노
자를 뜻하는 증거가 된다. 또 같은 갑·을본도 나라 표시 한자가 다른
데, 갑본은 邦으로, 을본은 國을 사용했다. 이 또한 피휘법에 따른 것
으로, 한나라 시조가 유방이기 때문이다. 즉, 을본은 유방의 집권기에
써진 것이고, 갑본은 최소 유방이 집권하기 전이거나 진나라 시대에
써진 것이 된다. 즉 한나라 초기나 통일 진나라시대의 작품이 되는 것
이다. (이는 진제작설의 중요한 근거다.)

帛書甲乙本同作'恒道','恒名',今本皆作'常道','常名'. '恒','常'義同,
漢時因避孝文帝劉恒諱, 改'恒'字爲'常',足見帛書甲乙本均抄寫於漢文
帝之前.

백서 갑·을본은 다 같이 '항도', '항명'으로 쓰였고, 지금 본은 모두
'常道', '常名'으로 쓰였다. '恒'과 '常'은 뜻이 같고, 한나라[21] 때 효문
제였던 유항(의 이름)을 피하려는 기피로 인하여, '항'자를 고쳐 '상'이
됐으니, 백서 갑·을본은 (둘 다) 고르게 한나라 문제보다 앞인 것에서
베꼈다고 보기에 충분하다.

 >> 알림 : 제1장은 한 개 연 설명이 끝날 때마다 〈백서노자교주〉의
문장도 같이 실었다. 책은 중국 주류학계의 노자 해석 방향인 왕필의

---

21) 한나라는 BC206~AD9(전한), AD25~220(후한)으로 나뉘는데, 한문제는 전
    한의 초기에 살았던 왕이며, 재위기간은 BC180~BC157년이다.

玄學을 따르는 해석의 종합본과도 같은 책으로 우리나라 학자도 자주 언급한다. 아직 한글 번역본은 없다. 저자의 해석과 너무도 다르게 중국의 현학자가 지금도 노자를 현학으로 해석하는 근거가 무엇인지 알아보고, 설명이 필요한 부분은 문장을 인용하여, 무엇이 다른지 따져 보았다.

[심화학습] 책 '백서노자교주' 산책

지금부터 고명의 책 〈백서노자교주〉를 분석한다.

高明은 중국 북경대학교 교수 시절에 백서본 주석서인 '백서노자교주'를 집필한 것으로 보인다. 책은 제목에서 보듯 백서본을 연구한 것인데, 중국 玄學的 注의 종합본이다. 도올의 해석도 넓게는 이 주석의 범주 안에 있음을 알 수 있을 것이다.

먼저 노자 첫 문장 '도가도비상도 명가명비상명'이다. 노자 제1연은 책 원본사진과 함께 문장 전부를 역해했다. 현학자들이 가장 어려워하는 문장이자 도올이 '비상도'의 '상'을 가지고 너무 많은 의미로 확대해석하고 있어 이를 명확히 是非하고자 함이다.

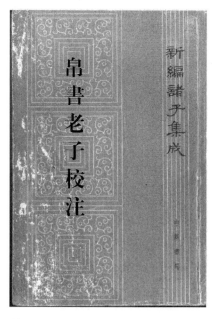

帛書老子校注 표지

(高明 撰, 중화서국, 1996.5월

제1판, 2004년11월 4차인쇄)

[原文]

甲本：道，可道也，非恆道也。

乙本：道，可道也，〔非〕恆道也。

王本：道，可道，非常道。名，可名，非常名。

世傳今本皆同王本，唯〔傅奕本無「道可道」一句，而注云：「經術政教之道也。」顯系首句之「釋」，想必

抄寫脫誤〕，非異文也。乙本有殘損，參照甲本補。

〔帛書甲、乙本同作「恆道」、「恆名」。今本諸作「常道」、「常名」。「恆」、「常」義同，漢時因避孝文帝劉恆諱，改「恆」字爲「常」，足見帛書甲、乙本均抄寫於漢文帝之前，再如帛書甲、乙本每句末均有「也」字，今本無。〕

王弼注：「可道之道，可名之名，指事造形，非其常也。故不可道，不可名也。」「指事造形」指可識可見有形之事或物。非永存恆在也。「不可道」之「道」、「不可名」之「名」，則永存恆在。河上公注：「謂經術政教之道也。」

又云：「謂富貴榮高世之名也。」非自然常在之道也。「常名」愛如嬰兒之未言，雞子之未分，明珠在蚌

中，美玉處石間，內德昭昭，外如愚頑。」依王弼、河上公兩注，「道」、「可道」與「恆道」三「道」字，字同面

義異。第一個「道」字，通名也，指一般之道理。德經中稱「道也者，不可須臾離也。」朱熹注：「道者，曰

用事物當行之理。」「可道」猶云「可言」，在此作謂語。荀子榮辱：「君子道其常，小人道其怪。」楊倞注：

「道，語也。」「恆道」謂永存恆在之道。此「道」字乃老子所用之專詞，亦謂爲「天之道」(七十三章)。「法

自然」之道(二十五章)。「道」可以言述明者，非永存法自然之道也。變易無窮，因勢面

行，與時俱往，非可以智知而言明。黃帝書法，老子用

物商未有名。「黃帝爲物作名」。「可名」之「名」爲物之稱號。禮記祭法「黃帝正名百物」，老子用

以異於世人習用百物之名也。老子把「道」與「名」作爲同一事物之兩個方面提出討論，第一次指出名與

實，個別與一般的區分。同時他以「恆道」、「恆名」與「可道」、「可名」，即「無名」與「有名」，闡明事物實體

與現象的辯證關係。

[원문 번역]

통용본(왕본) : 도가도비상도 명가명비상명

백서본 : 도가도야 비항도야 명가명야 비항명야

[인트로] 고명의 주석은, 먼저 통용본에서의 異同을 말한 후, 백서
본과 비교하여 異同을 설명하고, 만약 문장이 다르면 판별한다. 즉 여
기는 앞서 이미 인용했던 恒을 避諱한 이유가 있고, 문장 끝에 也가
쓰인 것을 언급했다. (이상 번역 생략) 이후 내용으로 들어가는데, 먼
저 중국의 주류학계의 마루인 왕필과 하상공의 注를 올리고, 그 주를
보충 또는 비평한 중국 학자의 문장을 소개한 후 자신의 주로 마무리
하는 식이다.

王弼注..「可道之道, 可名之名, 指事造形, 非其常也. 故不可道, 不
可名也.」「指事造形」指可識可見有形之事或物, 非永存恒在也., 「不
可道」之「道」,「不可名」之「名」,則永存恒在.

河上公注..「謂經術政敎之道也, 非自然長生之道也. 『常道』,當以
無爲養神, 無事安民, 含光藏暉, 滅迹匿端, 不可稱道.」又云..「謂富
貴尊榮古世之名也, 非自然常在之名也. 「常名」愛如嬰兒之未言, 鷄
子之未分, 明珠在蚌中, 美玉處石間, 內雖昭昭, 外如愚頑.」

왕필은 注解에서..「말을 할 수 있는 道와 부를 수 있는 이름이란,
말로써 표현한 指事字요 (뒷구는) 만들어진 형체(를 부르는 이름)이
니, 그것은 영원함이 아니다. 까닭에 道도 不可하고 名(이름)도 不可
하다.」고 했다.22) (이 말은 곧)「指事造形」은 가리킬 수 있고 보아

---

22) 可道의 도를 '말하다'로 번역한 경우다. // 왕필 注의 모든 道를 '길 道'로

알 수 있는 有形의 事나 物이니, 영원한 존재가 아니다(는 말이다)., (반면) 「不可道」의 「道」와 「不可名」의 「名」은, 곧 영원한 존재다. (는 뜻이다)

하상공은 풀이에서..「(도가도는) 노자경을 이해하는 실마리의 통로인, (그리고) 정치의 가르침인 도를 말한다 함이요, (비상도는) 저절로 그러함(自然)과 길게 사는 道가 아니다 함이라. (즉)『常道』는 마땅히 無로써 精神을 길러줌을 삼음이니, (이 말은) 일이 없음으로 백성은 편안하고, 빛을 머금음으로 빛을 숨기고, 자취를 없애 조짐이나 실마리를 숨김이니, 道(or말言)를 稱하기가 不可하다.」또 이르길..「(명가명은) 富貴와 尊榮 그리고 옛 세대의 이름(名)을 이른다 함이요, (비상명은) 저절로 그리함(自然)과 항상 존재하는 이름(名)이 아니다 함이라. (즉)「常名」은 어린아이가 아직 말하지 못함을 사랑함과 같아, 병아리가 아직 부화하기 전이요, 밝은 옥구슬이 조개 속에 있음이요, 아름다운 옥구슬이 돌에 묻혀있음이니, 안은 빛나고 빛이 난다고 할지라도 겉은 어리석은 얼굴과 같다.」고 했다.

번역하면, 「도를 할 수 있는 '도'와 이름을 할 수 있는 '이름'은 事物을 가리키고 형체를 만드니, 그것은 영원함이 아니다. 그러므로 도(道)를 해선 안 되고 이름(名)을 해선 안 된다.」가 된다. [해설] 故를 기준으로, 앞은 언표의 부정이 불분명하다고 할 수 있겠지만, 뒤는 도를 해서는 안 된다고 해, 확실하게 언표를 부정했다. 즉 道의 훈을 '길 道'로 번역해도, 언표해서는 안 된다는 뜻이 표출되기 때문에, 굳이 두 번째 道를 '말하다'로 번역할 필요는 없었다고 저자는 판단한다.

依王弼,河上公兩注,「道」,「可道」與「恒道」三「道」字, 字同而義異. 第一個「道」字, 通名也, 指一般之道理. …「可道」猶云「可言」,在此作謂語. 荀子榮辱..「君子道其常 小人道其怪.」楊倞注..「道,語也.」「恒道」謂永存恒在之道.

왕필과 하상공, 둘의 풀이에 의지해보면, 「道」,「可道」및 「恒道」의 道字는, 한자는 같다고 해도 뜻은 다르다. 첫 번째 「道」 자는, 두루 사용하는 이름으로, 우리가 알고 있는 일반적인 道理를 가리킨다. ('…'는 道와 같은 용례 소개) (다음)「可道」는 마치「可言」을 뜻하는 거와 같으니, 이는 만들어 이르는 말로 존재함이다. 순자의 영욕편에는 「군자도기상 소인도기괴」 라는 문장이 있는데, 양경은 풀이에서.,「道는 '말하다(語)'이다.」고 했다. (다음)「恒道」는 영원히 존재하는 道를 말한다.

此「道」字乃老子所用之專詞, 亦謂爲「天之道」(73장),「法自然」之道(25장). 「道」可以言迷明者, 非永存法自然之道也. 「法自然」之道, 變易無窮,因勢而行, 與時俱往, 非可以智知而言明. 「名」爲物之稱號. …「可名」之「名」,在此作謂語,稱名也. 「恒名」指永存恒在之名, 老子用以異於世人習用百物之名也.

이「道」자는 이에 노자가 자신만의 말(專詞,專用)로 쓴 것이며, 또 제73장의 「천지도」와 제25장의 「법자연」의 道가 됨을 이른다. (만약) 「道」가 迷明을 말로써 할 수 있는 놈이면, 영원히 존재하는 자연의 도를 따름이 아니다. (까닭에) 「스스로 그러함(自然)을 본받는」 도는, 달라지고 바뀌는 변이變易가 다함이 없고, 세력으로 인해서 행하고, 때를 갖추어서 나아가니, 지혜와 지식으로써 할 수 있을 뿐 말이 밝아서가 아니다. 「이름名」은 物을 위한 이름(號)을 일컫는 (稱) 것이다. (용례 문장) (뒤)「可名」의「名」, 이는 만들어 이르는 말로 있는데, (앞의) 名을 부른다 함이라. 「恒名」은 영원히 존재하는 이름(名)을 가리키니, 노자는 세상 사람들이 익숙하게 습관처럼 사용하는 뭇 사물들의 이름(名)과 다른 방법으로써 (恒名을) 썼다.

老子把「道」與「名」作爲同一事物之兩個方面提出討論, 第一次指出名與實, 個別與一般的區分 ; 同時他以「恒道」,「恒名」與「可道」,「可名」,卽「無名」與「有名」,闡明事物實體與現象的辨證關係.

(정리하자면) 노자는「道」와「名」을 가지고. 같은 사물의 양쪽 각각의 방면에서 의견을 내어놓아 토론토록 만들었다(作爲). 맨 처음으로 名과 實을 가리키니, 개개의 낱개와 통 전체의 구분이다. : 동시에 다른 「恒道」 및「恒名」과「可道」 및 「可名」, 즉 「無名」과 「有名」으로, 사물의 실체(본체)와 現象(나타난 모양象)의 정반합의 변증법적 관계를 분명히 드러내 밝혔다.

[해설]

1. '왕필'과 '하상공'은 처음부터 '도가도'와 '비상도'를 분리했다. 이

는 필연적으로 앞의 道와 뒤의 도를 다르게 볼 수밖에 없는 도식이다. 또한 '도가도비상도 명가명비상명'의 문장을 전혀 사용하지 않고 있다. 즉 道와 名의 관계를 이해했다면, 충분히 道와 名을 사용하여 내용을 담을 수 있었는데, 문장을 무시한 채, 자신이 읽고 느낀 노자로 문장을 설명하고 있다.

왕필은 도가도와 非常道가 아닌 가도지도와 不可道로 나누었다. 처음부터 노자의 문장을 벗어난 모양새다. 이는 하나의 道를 둘 이상의 다른 道로 보게 되는 시발이 되어, 결국은 가도지도가 아닌 불가도만이 영원한 존재라고 해버렸다. 특히 하상공은 최초로 '상도'와 '상명'을 하나로 묶어서 注를 하였다. 이는 道와 다른 常道가 있는 꼴이 되어, 도올처럼 玄學을 좋아하는 철학도에게, 노자 자체가 아닌 '비상도'의 常을 가지고 '놀게 만드는' 개연성을 주었다.

주해임에도 불구하고 玄學的인 설명이라 번역이 쉽지 않다. 저자는 노자가 더 읽기 쉽다. 노자를 해석하려 하면서 노자를 읽지 않고, 문장 이해가 더 어려운 왕필·하상공의 주해서로 노자를 해석하는 세태를 이해하기 어렵다. 왕필과 하상공의 注 풀이는 시중에도 많이 있어 깊이는 생략한다. 다만 저자가 거듭하고 싶은 말은, 노자서를 사람의 정기를 다스리는 수련서 또는 그 비법을 쓴 책으로 주석했다는 '하상공'이 최초로 '상도'와 '상명'을 하나로 묶어 注를 달았고, 또 왕필은 도가도 비상도를 문장으로 읽어내지 못하고 분리해, 말할 수 있는 가도지도와 不可한 도로 나누었다는 것이다.

중국의 주류를 형성하고 있는 현학파 교수인 高明이 그의 책 '백서 노자교주'에서 이 둘의 주를 이어받아 번역처럼, 道는 일상의 道理처럼 풀이하고, 常道를 노자가 專用으로 사용한 진정한 道라고 해석한다. 즉 '道', '可道' 그리고 '恒道'에 쓰인 道字를 '뜻이 다르다(義異)'고 해설하고 있다. 그리고 이 道字에 대한 설명은 도올을 비롯한 우리나라 학자들이 해석하는 것과 거의 일치한다. 즉 우리나라 학자가 '상도'나 '상명'으로 묶어, 문장의 앞에 나오는 道나 名과 다른 뜻으로 해설하는 것은 중국에서 넘어온 것이다. 즉 도올이 '도가도 비상도'의 '상도'에 나오는 '상'을 가지고 참 민망할 정도로 많은 쪽을 할애하여 설명하고 있는데, 문장은 풍성할지라도 알갱이는 드물다.

2. 道를 '말하다'로 번역하는 것은 정말 다시 생각해야 한다. 왜냐하면 '말하다'는 뜻을 지닌 그 많은 言, 曰, 謂, 語, 說, 談, 云 등등을 제쳐두고, 道를 '말하다'로 사용했다는 것은 쉽게 받아들이기 어렵기 때문이다,

[쉼터] 저자는 양경이 可道의 道를 '말하다'로 번역하는 근거로 삼은 '순자 영욕편' 용례 文章을 검색해 봤다. 결론은 '따르다'가 더 적합했다.

仁義德行 常安之術也 然而未必不危也… 故君子道其常 而小人道其

怪.

어질고 뜻있고 덕스러운 행동은, 늘 (심신을) 편안하게 하는 방책이다 함이나, 그렇다고 반드시 (심신이) 위태롭지 않은 것은 아니다.…까닭에 군자는 자신의 변함없는 常을 따르고, 소인은 그의 정상적이지 않은 기이한 행동을 따른다.

[해설] 君子道其常 而小人道其怪만 단독으로 보면 '말하다'도 가능해 보이지만, 전체 문장으로 보면 '따르다'가 훨씬 낫다. 또 용례의 품사는 술어(동사)인 데 반해, 노자 道可道의 可道(言)는 체언(명사)이다. 더 楊倞을 검색해보니, '순자 불구편'에서는 道를 導, 즉 '이끌다'로 주석했다는 글귀도 있었다. 만약 양경이 최초로 道를 言(말하다)으로 주석했다면, 저자가 판단키로 그는 노자를 이해할 수 없는 얕은 학문이거나 곡학아세하는 학자로 보인다. 왕필의 노자 注에 맞추고자 억지 용례를 만들었기 때문이다.

만약 예시문장이 '말(言)'로 번역되지 않는다면 '말하다'의 훈은 없다고 봐야 한다. 중국의 고명조차도 作謂語 즉 **만들어 이르는 말**이다고 표현하지 않는가! 결론적으로 道를 '말하다'로 번역하는 것은 '틀리다'는 것이 저자의 일관된 입장이다. 당연히 왕필의 注도 순자의 불구편도 군이 '말하다'로 쓸 필요가 없었다. 그럼 용례는 없는 것이다. 따라서 제1연의 '말하다'는 틀린 것이다. 참고로 作이라는 한자는, 없

老子의 도덕경 123 (1)

는 것을 만들어 낼 때 쓰는 단어다. 예로 作品이라면 지금까지는 없었는데 처음으로 만들어 낸 물건이라는 뜻이다. 즉 고명이 작위어라고 썼다는 것은 원래 道에는 그런 훈이 없었는데, 처음으로 노자가 '말하다'의 훈으로 썼다는 이야기다. 이는 老子가 한 말이 아니다. 양경이 순우리말로 '지어낸 말'이다.

내용이 이와 같음에도 우리나라 학자들은 너무 쉽게 왕필 주를 비롯해 다른 곳에서 道를 '말하다'로 번역한다. 한비의 해로편 '도가도' 문장이나 도올이 월암의 문장을 바르게 읽지 못한 것도 이 같은 이유가 한몫한다. 강조하지만, 道를 '말하다'로 번역하는 것은 不可하다. 문맥상 체언이 아닐 때도 '따르다·이끌다·인도하다' 등이 원뜻인 '길 道'의 파생 訓으로 부합하지 '말하다'는 연결고리가 없다고 판단된다. 더하여 名을 '부르다'로 해석하는 것도 어이없는 것이다. 번역을 생략한 용례문장 皇帝正名百物에서 서술어는 正이 먼저고, 설령 名을 서술어로 쓴다고 해도 '이름(규정)하다'로 해야지 '부르다'는 아니다. 이 역시 노자 可名의 名을 '부르다'로 번역하려니 나온 억지 용례문일 뿐이다.

3. 고명의 주석은 '항도'가 진짜 노자가 쓰고자 했던 '영원히 존재하는 道다'고 말한다. 중국 주류학파의 입장이자 이번에 도올이 뻥 간 부분이다. 그런데, 노자에는 道 한 자만 가지고도 '항도'의 '도'처럼 형이상으로 인정해야만 하는 문장이 있다. 그것이 바로 '도법자연'과 '천

지도'의 道인데, 高明도 주석에서, 이것도 '항도'와 같은 격인 노자가 만든 '도'로 해설한다. 문맥상 인정하지 않을 수 없기 때문이다. 결론적으로, 고명은 '미명을 말로써 할 수 있는 道란 놈은, 영원히 존재하는 자연의 도를 따름이 아니다'고 설명하여, 왕필의 주해와 같은 현학적 입장을 취한다. 이는 곧 '도를 도라고 말해버리면 그것은 이미 도가 아니다'와 같은 것이다.

한데, 老子가 道를 고명의 주석처럼, '법자연의 도, 천지도의 道와 상도는 같고, 그 외의 道는 常道와 다르다'는 뜻으로, '도가도비상도'를 썼을까? 생각해보라, 老子가 문장을 쓰면서 후세인이 오해할만하게 상도의 道와 다른 道가 문장에 따라 같기도 다르기도 하는 뜻으로 썼겠는가? 이는 전혀 논리적이지 못한 주장이다. 노자의 道는 모두 '같은' 道이지 道보다 더 위인 常道가 어디 있겠는가?! 없다. 아무튼, 도올은 이번 책에서 고명이 설명한 것과 같이 상도를 진정한 도의 모습으로 설명하고 있다.

4. 名의 설명은 짠할 정도로 고명의 恒名에 대한 해설은 어설프다. 항도와 달리 항명을 가지고는 명과 다른 설명이 불가능하기 때문이다.[23] 영원히 존재하는 이름이 무엇인가? 아무리 생각해도 설명이 어렵다. 결국, 고명은 '세상 사람들이 익숙하게 습관처럼 사용하는 뭇 사

---

23) 백서본은 모두 恒이다. 통용본의 常은 恒을 피휘하기 위해 쓴 것으로 표면적인 의미는 같다.

老子의 도덕경 123 (1)

물들의 이름(名)과 다른 방법으로써 恒名을 썼다'고 두루뭉술하게 넘어가 버린다. 노자를 번역해본 자의 관점에서 말하자면, 앞 문장 '도가 도비상도'와 따로 떼어 읽는 현학적 입장으로는, 이 문장의 해석은 불가능하다고 본다. 도올도 이 문장은 깊이 있게 설명을 내놓지 못했다. 자신의 이름으로 하는 설명은 애당초 모순투성이이기 때문이다.

5. 이후 계속해서 高明은 자신의 글로 문장을 마무리하고 있다. 그 설명이란, 역시 '말할 수 있는 道와 부를 수 있는 이름(名)은, 영원할 수 없다'는 왕필·하상공의 注와 맞물린다. '상도'와 '상명'의 道와 名에 대한 해설은 하상공의 주처럼 이해도 어렵고, 변증법의 설명을 저자가 하기도 벅차다.

노자는 정치서이기 때문에 사회발전법칙인 변증법이 없다고 할 수는 없겠으나, 전체 내용에서면 모를까 딱히 어느 문장이다는 것은 없어 보인다. 다만 여기의 문제는 가도와 가명으로 변증법의 양면처럼 묘사하여 틀리다는 것이다. 형이상인 道는 영원불멸이어서, 변증법을 적용하려면 道를 제외한 형이하인 名의 군집 속에서의 일이어야 하기 때문이다.

참고로 저자가 오래전에 읽어 본 책에 정반합의 변증법을 4개 주제로 나누어 쉽게 설명하고 있었는데, 기억 속에 남은 4개의 특징은 다음과 같다. 첫째, 모든 것은 연결되어 있다. 둘째, 모든 것은 변화한다.

셋째, 양질의 변화. 넷째, 대립물의 투쟁이다.

6. 저자가 노자 첫 문장 '도가도비상도 명가명비상명'에 대한, 중국 高明의 주해 全文을 번역해 올린 것은, 중국측의 현학적 注가 거의 그대로 우리나라의 노자 해석에 반영되었음을 보여주기 위함이다. 즉, 우리나라에서 노자를 현학적 관점으로 해석한 학자들은, '자신이 노자에 깊이 침잠하여 어느 날 돈오로 나온 것이 아니다'는 말을 하고자 함이다. 道·名에 대한 作謂語 표현은 덤으로 얻은 수확이었다.

수많은 이민족의 침략과 지배로 과거 중국은 사실 오늘날의 중국민도, 땅도 아니었음에도, 현재의 땅덩어리로 그들의 나라를 만들고자, 역사를 왜곡하고 날조하고 있다. 이런 이유로 발굴문헌을 바로 공개하지 않는다. 모두 자신들의 입맛에 맞게 고치거나, 학술적으로 자국의 국익에 맞춰 일단락해야 공개한다. 공개하지 않은 발굴문헌도 있을지 모른다. 이는 학문조차도 당성이나 사상성을 강조하는 공산당 일당 독재국가의 슬픈 현실이라는 생각이 든다.

하지만 저자가 이미 증명했듯, 그들이 완전히 정리하고 학술 연구가 일단락된 것을 공표했다고 해도, 원문만 있으면, 그들의 연구나 정리가 맞은 지 틀린 지 검증할 수 있다. 문제는 우리나라 학계가 그것을 무비판적으로 수용하는 데 있다.24)

---

24) 학문의 왜곡은 출토문헌인 상해박물관장전국초죽서와 곽점초묘죽간 양쪽에 들어있는 치의편을 비교·번역한 '공자의 정치론 항백'을 통해 이미 증명했으

7. 현재 중국측은, 노자를 바르게 이해하지 못한 왕필과 하상공의 주를 따른다. 하지만 중국에도 道를 假借한 이름으로 이해한 韓非가 있었다. 한비의 喩老·解老는 노자 주해 문헌 中 가장 오래된 것이다. 저자는 解老편에서 한비가 '도가도비상도'를 정확히 이해했음을 소개했었다. 지금까지 알려지지 않은 것은 잘못된 훈과 오류 번역 때문이었다.

한비의 道에 대한 노자 주해가 잘못 알려진 것은, 영원함(常)에 관한 注의 번역 오류도 있지만, 양경처럼 누군가 가장 중요한 부분에서 道를 '말하다'로 번역했기 때문이다. 전후 문맥을 이어보면, 그냥 길 道이자 '영원한 존재자인 道'가 맞는데, 처음 오류 번역 이후 학자나 주류학계가 따르다 보니, 노자를 通貫했다면 모를까 감히 저자처럼 주장하기는 어려웠을 것이다. 결국, 중국측의 석문·주석만을 따르는 주체적이지 못한 행동이 계속 오류의 역사를 낳은 것이다.

끝으로 저자가 기 출판물에서, 한비가 군주를 人主(사람의 주인)로 표현한 문장을 보고 폄하했던 것에 대해 용서를 구한다. 지금 생각하면 모든 것이 군주의 소유물인 王國에서 그렇게 표현한 것은 당연했을 것 같다.

이후 2연부터는 사진 없이 설명이 필요한 부분만 취하여 인용했다.

니, 따로 언급하지 않는다. 치의는 현재까지 전해 오는 글이다.

제2연 : 道는 만물의 어머니

통용본 : 無名 天地之始, 有名 萬物之母.

백서본 : 无名 萬物之始也, 有名 萬物之母也.

통용본 : (도라는 임시적인) 규정도 없다면 천지의 처음이고, (임시적인) 이름이 있다면 만물의 어미인 것이다.

백서본 : (道라는) 이름(규정)이 없다면 만물의 시원인 것이다고만 함이지만, 이름(규정)이 있다면 만물의 어미인 것이다고 (할 수 있다) 함이라.

[인트로] 제1장은 이곳부터 백서본과 통용본의 주요 漢字가 달라진다. 노자의 원본은 초간노자이지만, 제1장을 볼 때 왜곡본의 원본은 백서갑본으로 볼 수 있다.25)

이 연은 名 할 수 없음에도 '그 무엇'을 임시로 道라 한 이유 즉 왜 도라고 假名한 것인지에 대한 설명 글이다. 즉 이름 없이는 천지·만물의 처음(시원)인 것이다고 밖에 할 수 없지만, 주체를 규정함으로써 즉 假名을 함으로써 드디어 '만물의 어미'라고 정의할 수 있게 되었다

---

25) '뜻이 왜곡되지 않았다'는 의미가 아니다. 제1장은 초간본의 뜻을 잇고 있어 同一하지만, 다른 백서갑본의 문장은 초간본의 뜻과 다른 것이 많다.

는 뜻이다.

먼저 언급하고픈 것이 있다. 번역 후 저자는 정말 아무 생각 없이 이 문장은 당연히 가차한 이유를 말하는 글이라고 생각했다. 문장 번역이 그러했기 때문이다. 그런데, 놀랍게도 중국의 왕필이나 하상공은 이 연을 無와 有의 이야기로 보고서, 무명·유명(또는 무와 유)을 만물 이전과 만물 이후의 도(의 이름으)로 규정해 버렸다. 이에 중국의 학계는 시간의 흐름(時)으로 읽었고, 이번에 도올은 우주론이라고 표현했다. 즉 道를 천하만물인 형이하와 대립하는 형이상의 존재(자)로 보지 않고 일원의 우주론의 양면으로 본 것이다. 노자를 바르게 이해했다면 이는 상상할 수 없는 관점인데, 그들은 1연을 현학으로 풀기 때문에 상상을 이겼다.

한편 첫 줄에서 道를 假借한 이름으로 해석한 월암이나 초원마저, 이곳부터는 저자와 달리, 그렇다고 왕필이나 하상공의 해석을 그대로 따라간 것도 아닌, 특이한 관점으로 이해했다. 아마도 그들은 여기의 有名을 제32장의 始制有名의 유명과 같다고 생각하여, 이 글이 '그러함에도 道란 가명을 써야 하는 이유'를 말하는 설명글, 즉 이름함으로써 만물의 어머니라고 정의할 수 있다는 것(有名 萬物之母)을 미처 생각하지 못하고, 도덕경 전체의 설명을 위해 가차한 것으로만 생각한 듯하다. 하지만 무게를 잰다면 만물지모가 크다. 역시 비평에서 논했다.

어미인 그 무엇은 천천만만의 얼굴을 가진, 오직 황홀할 뿐인, 실체를 알 수 없는 始原일 뿐이다. 그러므로 우리는 규정할 수 없고 정확히 알 수도 설명할 수도 없다. 그럼 우리는 만물의 어미요 천지의 처음인 그 무엇을 말할 수도 없고 말해서도 안 되는가? 당연히 말할 수 있다. 그것도 '그러할 것이다'와 같이 '높은 가능성'으로 붙일 수 있다. 그것이 道다. 이름이 없으면 '만물의 시작이요 시원인 것이여'라고 말할 수밖에 없던 것이, 가명(유명)을 함으로써 우리는 道 하면 만물의 어머니라고 정의할 수 있게 된 것이다.

만물지모, 이는 정말 중요한 규정이다. 엄마와 자식이라는 규정은 곧 名은 다르나 DNA 즉 유전자가 같다는 뜻이기 때문이다.

老子는 논설을 위해 그 시대에 불리고 있는 이름인 道를 그대로 차용한다. 다만 道에 대한 개념 정의를 명확히 하기 위해 제1연을 언급한 것이다. 즉 원칙은 이름할 수 없으나 이야기를 풀어가기 위해 주체(名)를 정한 것이 道다고 한 것이다. 이름하지 않으면 體(주어)가 없는 꼴이 되어 설명 자체가 어렵고, 하려고 하면 매번 주어에 대한 장황한 설명이 전제되어야 하기 때문이다. 그래서 老子는 이전부터 써온 '그 무엇'의 假名인 '도'를 자신도 쓴다는 것이다. 이렇게 주체를 이름함으로써 '道는 만물의 어미다'고 규정할 수 있게 되었고, 老子는 제3·4연처럼 인식론의 글로 풀어갈 수 있었다. 이는 세속의 군주들이 두려워하는 하늘(道)의 뜻을 말하고 본질을 설명하고 마음의 상태를 설명하기 위함이다.

이러한 설명은 문맥이 매끄럽지 않다. 즉 해석 글을 역으로 문장에 대입해 읽어보면 글이 이어지지 않는다. 도올의 제1장 번역 글은 문장이 되게 보이지만, 해석한 도올의 설명을 다시 제1장 문장에 대입해보면, 문장이 아니게 되는 것이다.

여기까지가 老子가 道와 名의 관계 즉 도의 개념을 언급한 부분이다. 이후는 '그러므로·까닭 故'가 나와 이러한 이유·원인에 대한 결과의 글이다. 즉 노자가 내심 하고픈 말은 이후에 있다. 이는 또 다음 문장을 풀 수 있는 핵심(이유·원인)이 여기에 있다는 뜻이기도 하다. 그것이 萬物之母다.

왕필이나 하상공 그리고 도올과 같은 현학 쪽 학자들은 모두 이것을 놓치고, 故 以下도 계속해서 형이상의 문장으로 끝을 맺는데, '도는 만물의 어머니다'는 명제는 노자 전체를 관통하는 핵심어이자 문장을 푸는 열쇠다. 즉 도를 가차한 진정한 이유는, 노자 텍스트의 설명을 위한 것도 있지만, 제1장의 故 以下를 이해하는데 반드시 있어야 할 바로 이것 즉 '만물의 어머니다'는 것을 말하기 위함이다. 이는 故 이하를 이해하는 키워드이자 고 이전이 존재론의 이야기에서 이후 인식론의 글로 전환됨을 암시하는 것이다.[26] 그동안 저자도 이 부분을

---

26) 중국의 석학 故풍우란이 동양에는 인식론이 없다고 한 모양인데, 이후 학계의 정설처럼 된 것 같다. 하지만 이는 노자의 제1장·제25장을 바르게 이해하

무심코 넘겨 마지막 중묘지문을 보지 못했었다.

萬物之母는 형이상의 존재자여서 있음만 알지 볼 수도 없고 이름도 모르는 가차한 道다. 하지만 그 자식인 萬物, 즉 우리 인간이 포함되는 형이하의 존재물은 始終이 있는 物이다. 까닭에 '도 만물지모'는 곧 형이상과 형이하로 이루어진 二元의 존재를 표현한 말이면서 동시에 一元의 뜻을 내포한다. 즉 둘째 줄은 도를 가차한 이유를 말함과 동시에, 뒤에서 논할 이야기의 핵심어를 함축하고 있다.

[쉼터] : 제2연은 제1연의 도를 가차한 이유, 즉 '왜냐면'에 해당하는 글이지만 관점을 잘못 두면 둘로 읽을 수 있다.

1. 저자는 04년 책에서 2연을 통용본처럼 번역했었다. 이는 無名과 有名의 문장을 다르게 본 것이다. 즉 이름(규정)이 없다면 우주만물의 처음이라고밖에 할 수 없다는 뜻이다. 왜냐면 태초의 '그 무엇'에 대한 규정이 없는데 무엇을 만물의 어머니라고 할 수 있겠는가! 그래서 유명 즉 道라는 이름이 있고서야 비로소 만물의 어머니로 규정할 수 있다는 글로 읽었다. 이는 백서본도 같다.

2. 백서본은 無名萬物之始也와 有名萬物之母也여서 始와 母의 의미를 거의 같다고 볼 수 있다. 즉 무명·유명의 두 문장을 같은 의미로

지 못해서 나온 오류다. 인식론은 반드시 존재론과 연결될 수밖에 없는데, 최근 중국의 경학계가 道를 우주론으로 해석하는 경향도 이에 영향을 받은 것 같다.

老子의 도덕경 123 (1)

보는 것이다. 이런 관점으로 번역하면, "(어차피) 道라는 이름이 없어도 만물의 시원이다 함이며, 이름이 있어도 만물의 어머니다 함이라." 처럼 할 수 있다. 이 경우는 가차에 무게를 둔 번역이 아니다. 이름이 없든 있든 상관없이 처음이요 어머니다는 뜻이기 때문이다. 즉 무명과 유명에 큰 의미적인 차이가 없다. 바로 이 관점이 중국이 가진 입장이며 도올이 따라 한 우주론이다.

[해설] 이처럼 2연은 관점을 어디에 두냐에 따라 2가지로 볼 수 있다. 하지만 문맥상 1이 맞다. 가차한 도를 쓴 이유가 핵심어인 만물지모로 반듯하게 연결되기 때문이다. 2는 중국측 관점으로 저자가 역해해본 것일 뿐 노자의 뜻이 아니다.

한편 왕필을 따르는 중국의 주류학계 즉 현학계는, 無名은 만물이 생겨나기 전, 즉 우주의 원시단계에 오직 道 홀로 있는 때를 표현한다고 한다. 즉 오직 道만 있으니, 이름이 필요 없어 無名이라고 老子가 표현했고, 有名은 만물이 생겨난 이후의 道를 표현한 것이라고 설명한다. 즉 이 문장을 우주진화론의 시기를 표현한 글로 본다. 그러면서 無와 有를 띄어 읽으면서 道와 같은 이름으로 이해한다. 이 설명의 문제점은, 제1연의 道를 名(이름)으로 잇지 못해, 이 연을 제1연과 연결 짓는 해석을 하지 못했다는 것이다.

[심화학습] 책 '백서노자교주' 산책

[인트로] 책은 먼저 통용본의 天地가 백서본에 萬物로 쓰인 것을 언급한다. 고명은 '통용본이 맞다'는 주겸지의 글을 실은 후, 마서윤의 글과 장석창의 보충 글로 '백서본으로 정정함이 마땅하다'고 했다. 이어 내용 설명으로 들어가는데 오로지 장석창의 注로만 대신했다.

蔣錫昌云..扶天地未闢以前, 一無所有, 不可思議, 亦不可名, 故强名之曰『無名』. 二十一章王注所謂..『至眞之極, 不可得名；無名, 則是其名也.』 迨天地旣闢, 萬物滋生, 人類遂創種種名號以爲分別, 故曰『有名』.

質言之, 人類未生, 名號未起, 謂之『無名』., 人類已生, 名號已起, 謂之『有名』. 故『無名』『有名』, 純以宇宙演進之時期言. 莊子天地..『泰初有無, 無有無名.』此莊子以『無名』爲泰初之時期也. 『無名』爲泰初之時期, 則『有名』爲泰初以後之時期也明矣.

…『道』, 『無』二字與『無名』同爲萬物之始, 可見『無』卽『無名』, 『無名』卽 『道』也.

장석창이 말하기를 .. 「하늘을 도와 땅이 아직 열리지 않은 이전에는, 하나도 있는 것이 없으니, (그 자체로) 不可思議요, 또 이름(名)도 불가하다. 그러므로 억지로 이름하는 것이 가로되 無名이다. 제21장 왕필의 주에 이르는 바..『참(眞)의 끝(極)인 것에 이르면 이름(名)을 얻기가 불가하니., 無名은, 곧 그의 이름(名)으로 옳다 함이라.』 하늘에 닿아 땅이 이미 열렸고, 만물이 번식하여 살아가고, 인류도 마침내 여러 핏줄과 씨족과 혈통 등으로 분화되기 시작하니 이름과 별호(名號)로 나누고 구분함에 썼다. 그러므로 말하길, 『유명』이다.

(하고 싶은) 본질의 말인 것은, 인류가 아직 태어나지도 않고, 이름과 별호도 아직 생기지 않음을, 『무명』이라 이르고., 인류가 이미 살고, 이름과 별호가 이미 나왔음을, 『유명』이라 이른다(는 것이다). 그러므로 『무명』, 『유명』은 순수하게 우주가 먼 옛날부터 진행되어 온 때를 말한다. 장자천지편에.. 『태초는 없음만 있으니, 있음도 없고 이름도 없다.』 이는 책 장자도 『무명』으로써 태초의 時期를 삼았다 함이라. (장자의 글을 정리하면) 『무명』은 태초 때인 것이 되니, 곧 『유명』은 태초 이후의 때인 것으로 삼음이 분명하지 않는가! … 『도』와 『무』 두 자 및 『무명』은 같이 만물의 처음(始)이 된다. (할 것이다. 즉) 『무』는 곧 『무명』으로 볼 수 있고, 『무명』은 곧 『도』다 함이라.」

　[해설]

　통용본의 天地지시가 백서본에 萬物지시로 나왔지만, 그동안 유지해온 우주론적 관점은 그대로 잇고 있다. 우주론적 관점은 그래도 天地가 나아, 주겸지와 같은 학자는 백서본이 틀렸다고 말하기도 한다. 즉 만물로 나온 것으로 해서 과거의 注에 근본적인 오류는 없는지 따져보지는 않고, 고작 우주론에는 만물보다는 천지가 더 합당하다는 주장만 한다.

　하지만 이러한 우주론적 진화의 설명은 문맥이 매끄럽지 않다. 그들이 현학적으로 해석한 제1연과도 연결된 해석이 아니어서 내용이 끊기기 때문이다. 즉 해석 글을 문장에 대입해 읽어보면 글이 이어지지 않는다. 이는 그동안 도덕경 제1장의 문맥에 대해 제대로 된 깊이 있는 연구를 하지 않았다고밖에 볼 수 없다. 물론 중국의 注는 번역이 없는 것이라 문장이 끊기는 해석을 할 수는 있다. 하지만 우리 글로 번역 후 해석하는 도올마저 이런 행태를 보이는 것은 이해하기 어렵다.

장석창은 무명과 유명을 제1연과 잇지 않고 해설한다. 상식적이라면 제1연에서 名이 언급되었기 때문에, '이름이 없다면(無名), 이름이 있다면(有名)'처럼 조건이나 가정의 뜻으로 해석해, 韓非처럼 道는 만물지모라고 개념 정의하기 위한 假名임을 알았어야 했다. 하지만 문장을 버리고 왕필의 주를 기반 삼아 얼토당토않은 해석으로 빠져 버렸다.

그는 注에서 우주 진화론적인 글로 이해하여 무명을 천지창조 이전으로 유명을 천지창조 후의 내용으로 해석한다. 이런 오류 해석은 계속해서 오류를 낳는다. 즉 그는 마지막 문장처럼 '도=무=무명'이라고 해 버린다. 이름(名)이 아닌 無와 無名을 고유명사로 만들어 만물의 어머니인 道와 같다고 한 것이다. 이렇게 하고서 어떻게 도덕경이 읽히는지 알다가도 모를 일이지만, 어떻든 이런 해석으로 문장을 꿰맞추고 있다. 하지만 노자의 문장은 촘촘한 한 편의 논문이기에, 이런 해석은 제1장에서도 전후로 이어지지 않는다. 혹 장석창이 해석을 달리하려 해도 인용문처럼 장자나 왕필마저 우주진화론이다 보니, 노자를 통관했다면 모를까 저자처럼 읽기는 사실 어려웠을 것이다. 저자처럼 한글로 1차 번역할 수도 없었을 것이며, 쉬운 듯 어려운 글이 노자이기 때문이다. 특히 이미 왕필의 주를 탐독한 상태에서는 거의 불가능하다 할 것이다.

그런데 문제는 한글로 번역 후 해석하는 도올도 우주 진화론적으로 해석한다는 것이다. 즉 번역은 '이름이 없는 것(있는 것)을'로 하면서 해석을 우주진화론으로 한다. 정말 이해할 수 없는 노릇이지만, 번역과 동떨어지는 우주론적인 해석이 어떻게 가능한지 물어보고 싶다. 그냥 문장으로 읽어내면 뜻이 어느 정도는 읽히고 심화적인 문장도 조금만 심사숙고하면 알 수 있음에도 현학을 따르고자, 번역도 틀려가며 중국식 해석을 따르는 행태를 이해할 수 없다.

즉 무명과 有名을 '이름이 없는 것을, 이름이 있는 것을'처럼 목적격으로 번역하면 틀리다. 이는 우리말식의 漢文 번역이다. 즉 같은 한자를 써도 세종대왕님의 말씀처럼 '나랏말싸미 듕귁에 달아 문자와로 서르 사맛디 아니할쎄(나라의 말이 중국과 달라 문자와 서로 통하지 아니하기에)'인 것이다. 아마 老子도 도올의 번역을 다시 한문장으로 번역하라면, 무명 만물지시 유명 만물지모라고 번역하지 못할 것이다.

제3연 : 어머니(道)의 眇(妙)를 볼 수 있는 방법

통용본 : 故常無欲 以觀其妙, 常有欲 以觀其徼.

백서본 : 故恒无欲也 以觀其眇(妙), 恒有欲也 以觀其所噭(徼)[27].

통용본 : 그러므로 늘 무욕으로는 그의 묘를 봄에 쓰고, 늘 유욕으로는 그의 요를 봄에 쓴다.

백서본 : 까닭에 늘 하고자 함이 없다 함으로는 그의 보기 어려운 모습(眇)을 살핌에 쓰고, 늘 하고자 함이 있다 함으로는 그의 외치는 바(所噭)를 살핌에 쓴다.

이 연은 道를 보는 방법 2가지를 소개하는 문장이다.

形軀를 가진 인간은 대부분 항무욕의 상태에서 살아가는 것이 어려워 묘를 보기는 거의 불가능하다. 형이상인 道가 직접 드리우는 象(마음)을 보는 것은 무욕으로 살아가는 聖人이 깊은 내면에서나 가능할 일이다. 그래서 볼 수 있다고 썼지만 정작 볼 수 있는 자는 극소수다.

반면 누구든 하고자 하는 마음만 있다면 소교(요)는 관찰할 수 있

---

27) ( )는 중국측이 석문 후 해석한 한자를 뜻한다. 비교를 위해 두었을 뿐, 저자는 원문장 그대로를 노자의 원의로 본다.

다. 그런데 좋아하는 것을 하고자 하는 마음은 어쩌면 인간 본성의 하나일 것이다. 아니 동물이라면 당연히 가지는 본성일 것이다. 그처럼 기본적인 것이다. 즉 우리는 누구나 – 하고자 하는 마음만 있다면 – 쉽게 '어머니의 외치는 바(기소교)'를 볼 수 있다. 하기 싫어 몸을 돌리고 귀를 막고 눈을 감지 않는 한 말이다.

이제 기소교가 무엇인지만 알면 우리는 그 어려운 어머니의 마음을 쉽게 읽을 수 있다. 무엇일까? 먼저 其는 道를 가리키고, 所는 장소·것·방법을, 噭는 부르짖고 외치고 울고 명사로는 주둥아리를 뜻한다. 기소교에 넣어 펼치면, 道의 외치는 곳, 도의 부르짖는 것, 그의 외치는 방법으로 번역할 수 있다. 그런데 道는 이미 앞에서 상무욕자만이 그의 眇를 볼 수 있기에, 도가 직접 외치거나 부르짖거나 한다고 볼 수 없다.

이때 떠올려야 하는 것이 제2연의 만물지모다. 즉 道의 자식이 곧 萬物이요 사람이라는 것이다. 그리고 母子란, 적어도 同質의 같은 피를 의미한다. 즉 어머니는 영원히 名을 알 수 없지만 그의 피를 받은 자가 萬人이라는 것이다. 그래서 외치고 부르짖고 할 수 있는 것이다. 즉 이 문장은 장소를 나타내는 所에 따라 나라(장소), 백성(것), 백성의 입(방법)을 보는 방법으로써 어머니 마음을 읽을 수 있다는 뜻이다. 즉 이는 군주의 나라를 통해서, 군주의 백성을 통해서, 그 백성의 외침을 통해서 간접적으로 도의 뜻을 읽을 수 있다는 뜻이다. 한마디로 군주가 통치하는 나라 백성의 외침 소리가 곧 하늘의 소리다. 독재자여, 성인의 말씀에 가위눌리지 않은가? 두렵고 놀랍지 않은가?!

도와 만물은 母와 子의 관계이기 때문에 군주가 통치하는 백성(의 소리)은 道의 마음을 볼 수 있는 대체물이다. 즉 老子가 제3연에서 하고자 하는 속 깊은 말은, 시간도 없을 진데 힘써 어머니의 마음을 보려고 헛수고하지 말고, 형이하인 백성을 통해서 형이상인 어머니(도)의 마음을 살필 수 있으니 그들의 소리에 귀 기울여 다스리라는 말이다.

老子는 4연에서 이의 관계를 분명히 밝힌다. 둘은 같(兩者同)다. 세상에 나와(出) 이름이 달라졌지(異名) 소화하기는 같다(同胃)고.

첫 단어 故(까닭, 그러므로)는 이유·원인에 대한 결과(해설)를 나타낼 때 넣는다. 즉 '고' 앞말만 봐도 뒷말을 예측할 수 있고, 뒷말만 읽어도 앞말을 추측할 수 있어야 한다. 예로 '밖에 비 와!'만 말해도, '우산 가지고 가세요.'라는 뜻인지 안다. 앞뒤를 바꿔도 같다. 즉 故 전후 문장이 쉽게 예측되어야 한다. 그런데 그동안 이곳은 고 전후의 내용을 연결하지 못했다. 아마도 철학적으로 형이상학의 존재론에서 고 이하 인식론으로 이어지는 글이다 보니, 이해하기 어려웠던 것 같다. 물론 왜곡도 한몫했다. 그래서 현학 쪽에서는 故를 거의 의미없는 말처럼 취급한다. 도올도 해석에서 고를 거의 취급하지 않는다. 자신의 해석으로는 쓸모없는 글자이기 때문이다. 하지만 여기의 故는 존재론을 인식론으로 전환하는 중요한 글자다. 즉 형이상인 도와 형이하인 만물은 母子의 관계이기에 만물로 道를 볼 수 있음을 알리는 전환의 관계사다.

상무욕·상유욕의 주체는 인간이다. 물론 노자는 정치서이기 때문에, 내용도 그렇지만, 군주를 염두에 둔 말이다. 지금이라면 정치에 뜻을 둔 모든 이들이요, 더 나아가 나라의 주인인 우리다.

이는 앞 문장을 이해했다면 충분히 도출될 수 있는 내용이다. 즉 노자를 문장으로 읽기만 하면 누구나 내용을 알 수 있는 글이다. 하지만 저자 이전까지만 해도 그렇게 간단한 문제는 아니었다. 왜냐면 중국이 상무욕과 상유욕을 道를 표현한 말로 주석해버려 모두 도의 표현으로 보기 때문이다. 황당하지만 사실이다. 그래서 도올이나 현학 쪽은 아직도 이 문장의 주체를 道로 보거나 설명이 궁색해 특정하지 않고 애매모호 한 해석으로 넘어간다.

상무욕과 상유욕이 道가 될 수 있는가? 불가능하다. 그러나 그들은 '늘 욕망이 없으면, 늘 욕망이 있으면'으로 번역을 하면서도, 해석에서는 '무욕, 유욕'을 그대로 사용하여 모두 道(의 모습이나 상태)로 연결한다. 이것이 어떻게 도가 될 수 있는지 도무지 이해할 수 없지만, 어떻든 연결한다.

볼 수 있다는 묘나 소교도 마찬가지다. 백서본의 한자가 뜻이 구체적이고 명확한데도, 중국측이 통용본의 妙와 徼로 주석한 이후 모든 학자가 둘 모두를 묘와 요, 즉 형이상으로 해석한다. 하지만 통용본의 묘와 요로는 무슨 뜻인지 알 수 없다. 통용본 노자 81장의 어디에도 설명이나 힌트가 없기 때문이다. 지금까지도 묘와 요에 대한 해석이 난무하는 것은 바로 이런 이유 때문이다.[28]

정리하자면 노자라는 텍스트를 잡학서로 보든, 현학서로 보든, 수양서로 보든 모두 이 문장을 형이상으로 해석하여 어떤 특이점으로 이해를 한다. 모두 틀린 해석이지만, 백서본이 나오기 전에는 누구도 논리적으로 시비할 수 없었다. 방법이 없었기 때문이다.[29] 제3연의 오류는 2,000여 년 동안 그렇게 틀린 채 내려와 마지막 제4연의 문장으로 정점을 찍었다.

[심화학습] 책 '백서노자교주' 산책

[인트로] 이 연은 문장의 중요 漢字가 백서본과 통용본이 틀리다. 즉 통용본의 妙와 徼가 백서본에 眇와 其噭로 나온다. 당연하지만 고

---

28) 백서본의 출토로 통용본의 묘와 요도 유추는 할 수는 있다. 묘를 道의 상으로 볼 때 '변방 요'는 인간(세상)으로 볼 수 있기 때문이다. (현재는 저자만 그렇다.) / 통용본 제27장에 要妙가 한차례 나오지만, 이 역시 뜻을 이해하는 데는 도움이 되지 못한다.
29) 백서본이 나오고도 현재까지는 저자만 이렇게 해석한다.

문을 연구하는 학자라면 잠시 떨어져 내용을 다시 봐야 했다. 하지만 중국측은 아무 의심없이 통용본의 이체자로만 석문할 뿐, 문장을 새롭게 보려고 하지 않았다. 그렇게 저자까지 흘러왔다. 저자는 이것으로 해서 제3연의 퍼즐을 맞출 수 있었고 제4연도 마무리할 수 있었다.

여기서는 이와 관련된 문장 위주로 보았다.

이 연은 4연과 더불어 교활한 智에게는 위험한 내용이다. 당연히 뜻을 숨기고자 했다면 왜곡할 수밖에 없었을 것이다. 그래서 인쇄 활자가 없던 필사의 때부터 있었던 글이라 내려오면서 글자의 첨삭이 심했던 것 같다. 통용본마저도 통일되지 않았다고 책에 쓰였기 때문이다.

過去因標句不同, 釋義亦異

(통용본도 문장의 故나 以 字가 없는 등 한자가 틀린 책이 꽤 많았다. 까닭에) 과거에 쓰인 글귀가 같지 않음으로 인해, 뜻을 풀이하는 것도 또한 (책마다) 달랐다.

그중 소철과 고형의 注를 소개하고 비평하고 있다. 즉 둘은 모두 '상무'와 '상유'로 끊어 해석하는데, 백서본이 모두 也를 쓰고 있어, 이 독법은 옳지 않다. 즉 과거 '상무' 상유'로 띄우는 해석은 이미 틀렸다고 말한다. 반면에 왕필은 '야'자가 없어도, 상무욕과 상유욕에서 끊었다고 쓰고 있다. 아마도 혜안이 뛰어나단 뜻으로 쓴 것 같다.

帛書甲,乙本「欲」下旣有「也」字, 句逗已明, 舊讀本不待辯.

백서갑,을본은 「욕」 아래 이미 종결을 뜻하는 「야」 자가 있으니, 글귀가 이미 던져졌음은 명확하다. (즉, 논할 가치도 없다) 그러므로 옛날 읽기는 분별을 갖추지 못했다. (즉 틀렸다.)

이어 백서본과의 異同에 관한 글이 나온다. 먼저 也와 噭에 대해 다른 주장을 펼치는 자의 글을 소개하고, 이를 비판하는 고명의 반론이 따르는데, 문장이 길지만 할 말이 있다.

然而嚴靈峯云..「常常有欲之人, 自難虛靜, 何能『觀徼』? 是如帛書雖屬古本, 「也」字應不當有, 而此句亦當從『有』字斷句, 而 『欲』字作『將』字解,爲下『觀』字之副詞.
又『噭』字, 說文..『吅也, 從口, 敫聲.』尤不可通, 吅聲可用耳 『聽』,安可以目『觀』之乎? 足證此爲誤字無疑.」
嚴氏爲衛護己見, 不惜否定古本, 一手焉能遮天. 尤指「噭」爲誤字, 謂「吅聲可用耳聽, 安可以目觀之乎」? 豈不知古人用字寬, 書多假借,不能以今量古, 以誤字責之.

그리하여서 엄영봉이 이르기를.. 「늘 상유욕하는 사람은 스스로 虛靜하기가 어려우니, 어떻게 『관교』에 능하리오? (불가능하다. 까닭에) 백서처럼 비록 고본에 속한다고 할지라도, 『야』 자가 응당 있음은 마땅하지 않으니, 그래서 이 글귀도 또한 『유』 자를 따라 글귀를 끊음이 마땅하고, 그리고 『욕』 자는 『장차〜하고자 하다』로 고쳐 해석해, 아래 『관』자의 부사로 삼아야 한다.

또 『울부짖을 교』자는 說文解字에.. 『아우성치다 함이니. 입에서, 울부짖는 소리다.』라고 설명되어 더욱 통할 수가 없으며. 아우성치는 소리는 귀를 사용해야 할 수 있는 『듣기』이니, 어찌 눈으로써 가능한 『보기』인 것이리오? 이는 의심할 것 없이 틀린 한자가 됨을 증명하기에 충분하다.」고 했다.

엄씨는 지키는 것으로 하여 몸을 보호한 것 (즉 다른 한자)을 보고, 고본을 부정함에 아깝지 않다. (즉 달리 쓰인 한자만 보고 백서본이 틀렸다고 주장하니 책망받아도 싸다) 한 손으로 어찌 능히 하늘을 가릴 수 있으리오. (옅은 학식으로는 통용될 수 없다) 더욱 「부르짖을 교」를 지적해 틀린 글자로 만들어, 「아우성치는 소리는 귀를 써서 듣기가 가능하니, 어찌 눈으로써 보기를 할 수 있으리오」? 라고 일렀다. (하지만) (한자가 적어) 그처럼 고인이 글자를 넓게 사용하여, 많이 (다른 한자를) 임시로 빌려다 쓴 것은 알지 못하고, 지금의 한자나 어투로써 옛날을 헤아리고, 틀린 한자라고 책망하는 것은 잘한 것이 아니다 할 것이다.

[해설]

통용본과 달리 쓰인, 백서본의 也와 嗷에 관한 글이다. 제1장에서 가장 난해한 문장인 듯, 고명도 많은 글을 인용하고 있다. 이 문장은, 앞서 백서본의 也로 인해 '상무' '상유'로 끊는 것은 틀리다고 했는데,

엄씨가 부정하는 해석을 내놓아 이를 인용하고서 高明이 반박하는 내용이다. 즉 앞서 백서본이 '상무욕야'처럼 也가 있어, '상무'로 끊는 것은 '틀렸다'는 글이 쓰였는데, 이에 대해 엄영봉이라는 학자가 인용문처럼 주장하고, 고명이 엄씨의 내용을 반박한 내용까지가, 올린 문장이다.

저자가 노자를 해석하면서 가장 난감한 것은 자국 글자라면서 문장을 모르는 것을 어떻게 이해해야 할 것인가였다. 지금으로서는 그저 읽을수록 놀랍다고밖에 할 말이 없다. 也가 있든 말든, 문장으로 읽자면, 한문장을 처음 배우는 초보자라도 상무욕과 상유욕으로 끊는 것이 바르다는 것쯤은 알 것 같은데, 也가 쓰였는데도 상무와 상유로 끊어야 맞다고 고집한다.

엄용봉은 백서본의 문장에서 교만 논하고 있지 문장은 전혀 고려하지 않는다. 즉 '기소교' 전체를 읽지 않는다. 그러나 所는 대표적인 뜻이 '장소'다. 당연히 문장으로 읽으면 저자의 해석처럼 '본다'는 뜻이 가능하다. 그런데도 엄씨는 '울부짖을 교'자는 의심의 여지가 없는 잘못 쓴 漢字로 규정한다. 또 상무(유)로 끊어야 한다는 논리 글도, 현학적으로 해석하기 때문에 관교가 불가능한 것이지, 저자처럼 역해하면 상유욕하고 허정하고는 하등의 상관도 없다. 그저 마음만 있으면 된다.

고명은 한술 더 떠 엄씨의 논조를 비판하는데, 옛날에는 (한자가 적어) 뜻을 표현하기가 어려워 다른 한자를 빌려 쓰는 것이 널리 용인되었다고 표현한다. 아예 잘못 쓴 것도 아니고, 의도적으로 '울부짖을 교'를 썼다는 말이다. 그래서인지 고명은 당연히 嗷를 徼의 이체자로 보고 고쳤다. 그리고 고명 역시 백서본을 문장으로 읽지 않고, 所는 거들떠보지도 않는다.

두 경학자 모두 통용본과 다르게, 백서본은 왜 상유욕에 갑·을본 공히 '기소교'로 쓰였는지 전혀 연구하려는 자세가 없다. 통용본의 대구 문장과 달리 백서본에 유독 쓰여있는 所를 생각하지 않은 것은 고문을 읽을 자세가 안 되었다는 증표다. 그런 자세로는 고문을 읽을 수 없다. 더욱이 백서본의 眇는 의당 妙의 이체자가 맞다는 듯, 둘 다 언급조차 않는다. 문장으로 읽어보려는 그 어떤 모습도 보이지 않고, 오직 왕필이나 과거의 풀이에 의존해 짜맞추기식 해석만 하고 있다. 이런 자세로 어떻게 출토문헌을 연구할 수 있겠는가!

이들의 행태는 초간노자에 나오는, 오늘날 전하지 않는 古字를, 대부분 통용본의 이체자로 석문하는 현학계의 모습이다.

문장으로만 읽었으면 내용이 드러났을 것인데, 왕필의 注를 따르다 보니 이런 사달이 난 것이다. 문제는 중국이 이렇게 석문했다 해도 우리는 한글이 있어서 번역하면 문장이 반듯하게 알 수 있는 데도, 번역은 제쳐두고, 그들을 따라 현학으로 가버린다는 것이다. 도올이 심혈을 기울여 해석한 묘나 요도 모두 중국인이 해석한 범주에 불과하다. 하지만 결론은, 왕필도 엄씨의 석문이나 고명의 해설도 그리고 도올까지 모두 틀렸다는 것이다.

이 문장 뒤로는 해석이 이어지는데, 왕필의 주로 시작해 여러 주장을 소개하고 있다. 내용은 거창해도 현학적 설명이라 모두 老子의 뜻이 아니다.

왕필은 妙를 微之極也(작음의 끝인 것이다)라고 해서, 만물이 微에서 시작해서 成하고, 無에서 시작해서 生한다고 설명한다. 즉 묘를 만물의 시작점으로 보는 것 같다. (하지만 만물의 어머니는 道고, 묘는 道의 마음을 드러낸 象일 뿐이다) 묘의 설명은 오직 왕필만 있다. 이어 徼를 歸終也 (돌아가 마치다)로 왕필은 정의한다. 고명은 왕필의 注가 바르다고 본다. 이어 晏子의 德之歸也(덕으로 돌아가는 것), 列子의 死者德之徼(죽은 자의 덕이 徼인 것이다)가 있고, 장석창의 求, 설문해자는 循也 등등 통일되지 않았다. 또 다른 설명은 時期로 본다.

제4연 : 萬勿[30]은 '중묘의 문'이다

통용본 : 此兩者同 出而異名①

　　　　　　　　　　　　同謂之玄 玄之又玄 衆妙之門

　　　　　此兩者 同出而異名②

백서본 : 兩者同, 出, 異名同胃, 玄之有玄, 衆眇(妙)之門

통용본 : 이 둘은 같다. 나와서 이름이 달라졌다.① (이 두 가지 것
　　　　　은 같이 나왔으되 이름이 다르다.②) 같이 일러짐이 가믈
　　　　　다. 가믄 것이 또 가므니 온갖 妙(묘)함의 문이로다.

백서본 : (모와 만물) 둘은 같다. (비록) 나와, 이름이 (도와 만물로)
　　　　　달라졌지만 소화됨은 같다. 가믄 것(만물)이 가믈기(도)를
　　　　　보유했으니 온갖 묘의 문인 것이다.

　　[인트로] 이전까지 풀지 못했던 제4연 마지막 문장이다. 저자도 중
국측 고명의 백서본 주석서인 〈백서노자교주〉의 釋文을 따라 해 읽어
내지 못했었다. 변명하자면 道可道非常道 名可名非常名에 대한 역해
가 기존서와 너무 달라, 이것에 초점을 두다 보니 중심을 첫 줄의 해
석에 두어 놓친 감이 있다. 예전에는 현학 쪽과 같은 해석이었는데,
이제는 4연마저 달라 제1장은 현학 쪽과 단 한 군데도 같은 해석이

---

30) 백서본과 통용본은 萬物로, 초간본은 萬勿로 나온다. 여기 萬勿은 '모든 사
　　람(萬人)'의 의미로 萬物과 다르다. 제1장은 백서본이라 萬物을 써야 하지만,
　　내용상 모든 사람을 뜻해서 萬勿로 썼다. 기타는 萬物로 통일했다.

없게 되었다. 번역은 유사하게 보일지라도 해석은 모든 곳이 다르다.

玄之有玄의 玄은 비유법을 사용한 것이다. 즉 가믈한 玄에 '만물'과 '어머니인 도'를 숨겼다. 노자의 다른 곳 비유는 문맥상 쉽게 이해했는데, 여기의 현은 제1장 전체가 玄學의 문장으로 이해되어 온 까닭에, 저자도 가장 마지막으로 찾은 문장의 하나일 것 같다.

저자가 제1연을 지금처럼 역해서 출간한 것이 04년도인데 아직도 학계 쪽에서는 씨도 먹히지 않고 있다. 이제는 제2,3연을 지나 마지막 현지유현 중묘지문까지도 기존과 다르니, 과연 언제쯤이나 노자 해석의 정석으로 학계가 인정할지 요원하기만 하다.

저자의 글을 읽고도 왕필이나 하상공을 따르는 내용으로 노자를 강의하고픈 학자가 있다면, 외람되지 않다면 저자를 짓밟고서 했으면 좋겠다. 형식은 상관없다. 저자는 단지 계속되는 악순환의 고리를 끊고 老子의 진실한 외침을 전하고 싶을 뿐이다. 중국·일본·프랑스 등 어느 나라 어떤 학자도 좋다. 아직도 엇나간 노자 해석이 진실인 양 통용되는 세태가 안타깝다. 노자의 내용과 동떨어진 주석서나 강의 내용을 접하다 보면, 읽고 듣고 있을 독자들로 가슴이 먹먹하고 아리다. 진리를 갈망하는 그들을 현혹하는 해석은 이제 멈췄으면 한다. 독자도 이제는 눈을 떠야 한다. 언제까지 현학서라며 황당무계한 해석을 품에 안고 갈 것인가?!

兩者同, 出, 異名同胃(백서본)³¹⁾

'(만물의 어머니와 그 자식인 만물) 양쪽은 같다. (즉) 나옴으로 해서, 이름만 (가차한 도와 만물로) 다르지 소화하기는 같다'

제4연의 앞부분이다. 이 말의 의미는 제3연과 이으면 이해가 쉽다. '상무욕'으로 그 '묘'를 살피고 또 '상유욕'으로 그 '요(소교)'를 살필 수 있다고 해서 권력자들은 요와 묘가 각기 다르다고 생각할지 모른다. 오늘날 다 수의 권력자들 또한 그렇다. 그래서 권력을 거머쥐면 아랫사람들이나 국민에 잔인할 정도로 포악하면서도, 절이나 십자가의 지붕 밑에서는 한 마리 어린 양처럼 머리를 조아리고 여린 미소를 짓는다. 수많은 악행에도 神의 구원은 받고 싶어서다. 그러나 神의 분신이 하찮게 생각하는, 바로 그들이 잔인하게 학대하는 국민이라면 얼마나 경악할 것인가?! 바로 그 뜻이다.

그렇다. 노자는 이 문장을 사용하여 둘은 비록 형이상(道)과 형이하(萬勿)로 나누어졌지만, 만물은 道라는 이름인 '그 무엇'의 한 부분을 가지고 태어난, 동질의 DNA를 가진, 자식(같은 존재)임을 말한다.

문맥상 出(나와서)은 만물만 해당함이 먼저고, 항존자이지만 이미 道라 가명을 했기에 나온 것으로 묶을 수도 있다. 하지만 '이명'은 도

---

31) 중국을 비롯한 학계는 양자동출로 붙여 읽는다. 이 경우 同은 '함께, 다 같이'로만 번역할 수 있어 뒤의 同과 훈이 달라진다. 또 古文에서 함께는 與가 있었다. 까닭에 띄어야 맞다. 문맥으로도 그렇다

라고 가명을 했음으로 형이상인 도와 형이하인 만물 모두를 지칭한다. '동위'는 소화(하기)는 같다 즉 형이하인 만물도 형이상인 도와 동질인 이상 만물이 표현(외침)하는 것은 곧 道의 표현이다는 말이다. 즉 도가 직접 보여주는 하늘의 마음(묘)이나 만백성의 외침 소리(소교)나 같은 道의 마음이요 뜻이다는 것이다. 직접이냐 간접이냐의 차이일 뿐이다. 얼마나 명확한 정의인가!

중국의 識者가 老子의 글을 왜곡하지 않고 진실하게 군주에게 전달하고 후학에게 학습되어 이어져 왔다면, 인류사는 좀 더 아름답지 않았을까?!

한편, 오늘날 통용본은 띄어읽기에 따라 ①,②처럼 2가지가 존재한다. 개작된 통용본만으로는 하나를 특정할 수 없기 때문이다. 백서본이 발견되지 않았다면 계속해서 갑론을박하고 있었을 것이다.

백서본은, 통용본이 此,而,之玄의 4자를 삽입하여 원래 4×4문장이던 것을 4×5문장으로 만들었음을 보여준다. 즉 통용본은 ①과 같이 띄우는 것이 맞지만, 한자가 삽입되고 왜곡된 관계로 통용본 ①,② 모두 바른 뜻으로 해석하기는 어렵게 되었다.

[쉼터1] ①,② 문장 분석

통용본의 ①과 같이 문장을 띄어 읽는 경우다. 이 경우 앞의 同은 '같다'로, 뒤의 同은 '함께'로 각각 훈이 나뉜다. 의미는 백서본과 유사하지만, 왜곡된 뒷부분으로 인해 내용을 이해하기는 어렵게 되어있다.

　다음은 ②와 같이 문장을 읽는 경우다. 대부분의 기존서들이 이렇게 띄우기를 하는데, 이렇게 띄우면 둘 다 같이 나온 것이 되면서, 대신, '같다'는 의미는 사라진다. 즉 '같다'는 同이 '함께'라는 의미로 변해버린다. 이를 합리화하기 위해 통용본은 동위지현도 '함께'로 번역하도록 왜곡한다. 이렇게 되면 노자에서 말하고자 하는 진정한 의미 즉, 본질적으로 같다는 핵심어가 공중으로 날아 버린다. 즉 이런 식으로 번역을 이어가면, 이후의 문장 '중묘지문'을 풀 수 없게 되고, 마지막까지 현학의 글로 읽히게 된다.

　[쉼터2] 兩者가 가리키는 것은?

　저자의 글 이전까지, 양자가 무엇을 가리키는지는 알 수 없었다. 그 누구도 논리적으로 특정하지 못한 채 학자마다 의견이 분분했기 때문이다. 고명도 '「兩者」究屬何指, 舊注甚爲分岐.'(양자가 무엇을 가리키는지 연구해 엮어보니, 옛날 풀이는 심하게 여러 갈래로 갈라졌다)라고 쓰고서 중국 학자의 注를 소개하고 있다. 하상공은 유욕·무욕으로, 왕필은 始와 母로, 범응원은 상무·상유로, 왕안석과 고형은 유와 무로, 장송여는 기묘와 기요로 보는 등등, 제1장에서 對句되는 단어로 보이는 것에는 저마다 서로 옳다는 듯 주장을 펼치고 있다.

　하지만 제1장에서 실질적으로 상대적인 것은, 母子관계인 도와 만물 그리고 묘와 소교 뿐이다. 이 외의 다른 것은 중국의 학자가 내용을 이해하지 못해 나눈 오류다. 까닭에 양자는 둘 중의 하나다. 과거 저자는 묘·교로 봤었다. 문맥상 바로 앞에 있고 당시에는 문장도 가능해 보였기 때문이다. 하지만 백서갑본으로는 결정적인 오류가 있었다. 즉 양자同出에서 同이나 出은 어떻게든 이을 수 있었지만 異名동위에서 이들을 名이라고 할 수 있는가였다. 왜냐면 묘는 道가 드러낸 상이요 소교는 (도의) 외치는 바이니 名(이름)이라고 할 수 없어서다. 즉 시시각각 표출되는 어머니의 마음이나 백성의 외침은 名이 될 수 없다. 따라서 양자는 오직 도와 만물뿐이다.

玄之有玄, 衆眇之門(백서갑)

'가믄 것(萬勿)이 가믈기(道)를 지녔으니, (백성의 외침은) 온갖 묘(도의 마음)의 門인 것이다'

마지막 4연의 뒤다. 어머니의 자식인 만물은 모두 고유한 名이다. 즉 개개의 만물은 타자와 구분되는 나만의 색이 있는 까닭에 각각은 모두 가믈(玄)다. 그런데 그 가믄 것이 또 가믈한 어머니의 유전자를 보유(有玄)하고 있다. 다시 말해 固有性을 지닌 가믈한 만물이 또 영원히 亡名인 가믈한 도의 본성을 보유하고 있다는 말이다. 그러므로 군주가 통치하는 세상·만백성(의 입)은 곧 어머니(道)의 마음인 온갖 상(重眇)을 볼 수 있는 통로인 것(之門)이다.32)

군주에게 老子는 줄곧 세상살이에 조심하고 또 조심해야 한다고 당부한다. 그것은 왜일까? 하늘 즉 어머니가 나은 천천만만의 자식들이 하나같이 같은 것은 없다는 것을 깨우쳤기 때문이다. 모습뿐만 아니라 생각하는 것 받아들이는 것 행동하는 것 등등, 어떤 것에서도 모두 같은 것은 없다는 것을 알기 때문이다. 바로 이러한 관점은 제2장에서 성인의 처세로 나타나며, 老子의 정치에 그대로 반영된다. 천천만만의 우주만물은 그것 자체로 어머니의 마음을 읽을 수 있는 온갖 묘함의 대상이며 門인 것이다.

백성은 왕이 일방적으로 지시하고 명령하며, 짐이 곧 법이고 진리라고 함부로 대해야 할 하찮은 존재가 아니다. 어여삐 여기며 소리에 귀 기울여 다스려야 하는 神의 대리자인 것이다. 왜냐면 백성의 외침 소리는 천지·만물의 어머니인 도의 眇[33] 즉 도를 대신한 입이기 때문이다.

오늘날 노자에서 가장 궁금한 것이 제1장의 중묘지문의 뜻이었다. 중묘가 무엇인지? 衆妙之門이 무얼 말하는지? 노자를 역주한 자나 깊이 읽어본 자나 모두가 알고 싶었지만, 지금껏 풀지 못한 문장이 중묘지문이었다. 지금은 시진핑의 그림자에 묻혀버린 알리바바의 창업주

---

32) 제62장 道者 萬物之奧(도란 놈은 만물의 심오함인 것이다)의 장도 이러한 관점에서 만들어진 것으로 볼 수 있다.
33) 여기의 眇는 앞 이관기묘의 眇와 같다. 이를 달리 볼 어떤 이유도 존재하지 않는다. 또 묘는 도가 드리운 상이자 표출하는 마음이어서 道가 아니다.

마윈이 삶의 화두로 삼은 글자가 중묘라며, 어느 교수분이 물어본 그 글자 중묘가 들어있는 중묘지문이다. 하지만 중묘는 단순히 '도의 온갖 상(마음)'을 말하는 것일 뿐, 정작 중요한 문장은 '중묘지문' 전체다. 즉 '도가 표출하는 온갖 마음의 門인 것'이요, 그것은 도의 자식인 이 세상 만백성(의 외침)이다.

그동안 모든 주석가들은 이 문장을 마치 천상의 오묘한 門인 것처럼 묘사했었다. 즉 제1장 전체를 형이상으로 이해했었다. 저자도 이전까지는 깊은 생각없이 중묘여서 형이상이거니 했었다. 통용본으로는 앞 문장이 玄之又玄으로 쓰여있어 달리 볼 이유도 없었다. 당연히 그들처럼 현학이라고 이해했었다. 그런데, 강의를 해보고 싶어 다시 제1장을 돌려보니 문장이 물 흐르듯 이어지지 않았다. 이렇게 해보고 저렇게 해봐도 풀리지 않았다. 검토에 들어가, 백서본의 원문장이 통용본과 달리 쓰인 것을 확인하고, 통용본·백서갑본의 제1장을 머리에 넣고 몇 날을 돌려 보았다. 얼마쯤 지났을까 가믈한 것이 드디어 읽히기 시작했다. 그리고 마침내 완벽하게 드러났다. 2천여 년이 넘도록 풀리지 않았던 비밀의 문이 열린 것이다. 이것이 도(의 마음)와 백성(만물)을 동일시하는, 정치(통치)의 대상인 백성의 값어치(本性)를 말한 선언문일 줄이야! 누가 알았겠는가?!

백서본 기준 통용본을 보자면 한자가 많이 달라진 것은 아니다. 4자를 삽입하여 띄우기를 달리하도록 유도하고 眇와 有를 妙와 又로 고

쳤을 뿐이다. 하지만 이것만으로도 통용본은 논리성이 상실되어 2천여 년 동안 뜻을 알 수 없게 되었다.

왕필은 여기에 나오는 玄에 느낌을 받은 것 같다. 도와 만물의 은유적 표현인 玄을 道보다 앞서 존재하는 궁극의 무엇으로 읽는다. 하지만 노자의 어디에도 그러한 내용이 없다. 노자를 현학이라고 하는 것도 왕필이 창작해 注를 단 이 연에서 비롯된 것으로 보인다.

지금까지 제1장을 상술했다. 제1장을 정리하면 제1,2연은 道者 萬物之母이며, 제3,4연은 萬物者 衆眇之門이다. 철학적으로는 고 이전의 존재론과 고 이후의 인식론으로 나눌 수 있다. 특이한 것은 형이상의 존재자와 형이하의 만물을 '만물지모'로 엮어 존재자의 마음을 읽는 방법 즉 인식을 만물로 대체했다는 것이다.

이는 이원의 세계로 보면서도 궁극적으로는 同質인 일원의 관계를 나타내고 또 道는, 기독교처럼 단절된 것이 아니라, 자식(만물)을 통해 끊임없이 교통하는 존재자로 세상과 소통한다는 것이다. 즉 노자란 텍스트는 이러한 철학을 바탕으로 하여 성인은 어떻게 살았는가! 그래서 군주는 어떻게 살며 다스려야 할 것인가! 그리고 智는 어떻게 살아가야 할 것인가? 하는 방법론을 펼치는 정치철학서이다.

제1장의 내용을 요약하면 다음과 같다.

형이상의 존재자를 가차한 이름(名)인 道는 곧 만물의 어머니라. 까닭에 늘 하고자 함만 있다면 만물로부터 道의 마음을 볼 수 있을 것이다. 즉 도와 만물은 소화됨이 같으니, 곧 너의 백성(의 소리)(가)이 귀 기울이며 찾고자 하는 어머니(道)의 온갖 마음이라.

[심화학습] 책 '백서노자교주' 산책

제4연은 통용본과 다른 漢字가 胃, 有 정도다. (眇는 제외) 즉 문장을 흔들만한 것은 아니다. 대신 통용본은 백서본에 없는 4자가 더 들어가 있다. 이에 대한 고명의 시각은, 백서본을 전혀 고려하지 않고, 왕필 注를 따르는 주해를 내놓고 있다. 즉 백서본에 달리 쓰인 漢字는 통용본의 이체자로 보며, 더 들어간 한자로 인해 뜻을 달리 볼 만한 것은 없다고 말한다. 결론은 왕필의 注를 따르겠다는 것이다.

특히 이 연에서는 玄을 중요한 단어로 보고서, 玄에 대해 창조 수준의 해석을 하고 있다. 현학적 내용이라 저자의 설명과 괴리감이 너무 크지만, 현학의 출발점이기에 빠짐없이 실었다.

注에 앞서 '글자 수'와 관련된 문장을 먼저 인용했다.

甲本…並假「胃」字爲「謂」, 假「有」字爲「又」, 假「眇」字爲「妙」., …. (통용본의 此,而,之玄 4자 위치 설명 후) 彼此經義雖無

原則差異, 但句型則有顯著不同. 帛書甲本在「異名同謂」之下標有句號, 故帛書組斷四字一句, 可從.

갑본은…나란히 胃자를 가차하여 謂를 했고, 有자를 빌려서 又를 삼았고, (또) 妙는 眇자를 빌렸다., …. (이후 此,而,之玄 4자가 있는 위치 설명 후). 저쪽과 이쪽(통용본과 백서본) 경전의 뜻은 비록 원칙적으로 차이가 없다 하더라도, 다만 글귀의 틀은 곧 현저히 틀리다. (백서본은 '양자동출 이명동위'로 왕필은 '차양자동출이이명 동위지현'으로 한 것을 말한다. 이에 고명은 뜻은 같고 틀은 다르다고 했다. 즉) 백서갑본에 있는「異名同謂」에서 아래 끝까지는 하나의 문장 표현을 갖추어, 까닭에 백서를 연구한 집단이 4자를 한 문장으로 끊었으니, (이를) 쫓음이 옳다(할 것이다). (즉 왕필을 따라 '이명'에서 끊지 않고 '이명동위'로 한다는 뜻이다.)

[해설]

기본적으로 중국측 입장은 통용본에 입각해 모든 것을 본다. 통용본으로는 내용이 불분명하거나 문장의 통일성이 없는데도 왜 통용본을 고집하는지 그 이유를 모르겠다. 古文을 읽을 만한 실력이 없는 건지, 그러한 내용을 쓸 수 없는 정치적인 상황에서인지 참으로 의아스럽다. 특히 고명은 〈고문자류편〉이라는 책도 낸 학자다. 序에는 통일 진나라 이전에는 합체문자를 흔하게 사용했다는 자신의 글도 있다. 그런데도 이런 정도의 주해서를 내놓는 것을, 어떻게 이해해야 할지 그저 난

감할 따름이다.

고명은 백서본에 쓰인 漢字를 통용본의 가차자로 본다. 그리고 통용본에 4자가 더 있는 것도, 깊은 생각 없이, 뜻은 백서본과 다르지 않다고 말하며 대수롭지 않게 넘어간다. 다만 문장의 끊어 읽기는 4자가 삽입된 왕필의 문장처럼 끊을 수는 없어, 백서본을 연구한 집단이 주장한 문단 나누기를 따라 4자를 한 문장으로 맞출 뿐이다. 하지만 又대신 有를 쓴 것이나 妙대신 眇를 쓴 것은 생각을 했어야 했다. 오래된 古文이 거의 又를 사용하고 있는데, 있는 한자 又대신 왜 아무 이유 없이 有를 쓸 것이며, 이관기묘에 쓴 眇를 또 여기에 쓸 것인가? 더 나아가서는 가차자로 해석하는 고문자 전반에 대해 회의적으로 봤어야 했다. 물론 전국시대 특성상 부분적으로 틀린 글자도 있을 것이다. 그것은 역해하는 과정에서 수정하면 된다. 즉 전반적으로 보자면 굳이 가차자로 번역할 필요는 없었다.[34]

결론적으로, 백서본의 漢字 그대로 두고 문장으로 읽었다면, 문장으로도 반듯하고 또 조금만 생각하면 뜻도 저자의 해석처럼 너무나 명백하게 드러났을 것인데, 모두 그렇듯 가차자를 선택해, 황당한 왕필의 注를 따르는 해석으로, 설명도 불가능한 현학으로 가버리는 어리석음을 범했다.

---

34) 고문을 가차자로 해석하는 것에 대한 모순은 저자의 책 '초간노자와 그밖의 노자'에서 이미 증명했다.

띄우기 注에서 빠진 '양자동출'을 보자. 책은 이 부분의 언급이 없는데, 중국 백서본을 연구한 집단은 어느 것이 진짜인지를 모르기 때문에 양자동출을 언급하지 않은 것이다. 백서본을 따라 '이명동위'로 끊는다면 통용본 기준 '차양자동출이'와 '지현' 8자가 남는다. 而는 접속사로 제하면 此가 남는다. 차는 가까운 곳을 가리키는 대사이기 때문에, 後人이 의도적으로 넣었다고 보아야 한다. 즉 앞도 '양자동출'처럼 4자로 끊어야 한다. '지현'은 언급이 없는데 그냥 버리면 된다. 통용본이 현학으로 보이게 하고자 후인이 삽입한 것이기 때문이다. 이는 이후에 쓰인 '현지유(우)현 중묘지문'이 양본 모두 8자로 같아 증명도 쉽다.

그런데 왕필은 후인이 넣은 '지현'에 뽕 갔다. 바로 이어나오는 '현지우현'과도 반듯하게 연결되어 보이기 때문이다. 결국 왕필은 玄을 道 이전의 무엇으로 보고, 萬物之母인 道마저도 여기에서 나왔다고 뱉어 버린다. 그렇게 현학은 탄생했다. 하지만 노자는, 정치론으로 한정하든 형이상까지 전부 다 연결하든, 道學이라고 해야 맞다.

지금부터는 내용이다. 책은 왕필의 注로 시작한다. 왕필은 최초로 道 앞에 玄이 있다고 하여 엄청 玄을 중요하게 다룬다. 현학계의 핵심 漢字이기도 해 4연 注는 전체를 나누어 실었다. 다만 兩者에 대한 설명은 이미 [쉼터]에서 다루어 주석은 생략했다.

王注云..「兩者,『始』與『母』也. 『同出』者, 同出於玄也. 在首則謂之『始』, 在終則謂之『母』. 玄者, 冥黙無有也., 始, 母之所出也. 不可得而名, 故不可言同名曰『玄』.

왕필이 주해에서 말하기를..「둘은,『시』과『모』라 함이다. 『동출』이란, 가믈 玄에서 함께 나왔다(는 뜻이다) 함이라. 머리에 있으면 곧 『始』를 이르는 것이요, 끝에 있으면 곧 『母』를 이르는 것이다. 가믈 玄이란 놈은, 아득하고 고요하여 있음이 없다 함이요., 始와, 母가 나온 곳이다 함이라. (이런 이유로) 얻기도 이름(名)도 不可하니, 까닭에 이름(名)이 같다고 말함도 不可하여 가로되 『현』이라.

[해설]

왕필은 동과 출을 나누어야 한다는 것을 모른다. 즉 '(둘은) 같다. 나와서'의 뜻을 동출로 묶어 '둘은 같이 나온다'고 해버린 것이다. 이렇게 읽게 되면 同質의 뜻이 동시적인 것으로 바뀌게 되어, 전후 문장의 내용 연결이 어렵게 된다. 즉 만물지모로 연결된 동질인 道와 萬物을 이을 수 없게 되는 것이다.

특히 왕필처럼 해석했을 때의 문제는, 첫째 양자를 始와 母라고 해놓고, 同出에서는 머리에 있으면 始요 꼬리에 있으면 母라고 해 '함께 나온' 동일체로 본다는 것이다. 즉 하나인데, 머리는 始 끝은 母로 표현할 뿐 같다는 것이다. 이게 어떻게 兩者가 되는지 이해할 수 없다.

둘째 시와 모가 가믈 玄에서 나왔다고 注를 했다. 이는 시와 모보다 더 앞서고 더 근본인 玄이 있음을 의미한다. 실제 왕필은 '始, 母가 나온 장소'를 玄者라고 하고 있다. 母는 道이니, 도가 나온 곳이 玄이다는 것이다. 즉 道보다 앞서는 그래서 道를 낳은 玄이 있다고 해버린 것이다. 그런데 제1장은 고사하고 노자 어디에도 그러한 의미로 玄을 이야기한 내용은 존재하지 않았다. 즉 근거가 없다. 셋째 異名에 대한 설명을 시와 모가 아닌 玄이라고 한다. 정리하면, 양자는 시와모, 동출은 玄에서 나온 동일체인 시와모, 이명은 玄이다. 그래서 차양자동출이이명은 곧 '두 시·모는 동일체의 머리와 꼬리를 이르는 말로 玄에서 함께 나왔다. 그리고 이름이 같다고 말할 수 없어서 현이다'라고 말할 수 있다.

하지만 道는 만물지모인 존재자다. 즉 도는 만물의 어미로, 분명 초간본 제11편(통용본 제25장)에, 道는 天地의 삶보다 먼저요, 자신의 일부로 세상의 인연을 만들었고 홀로 서 따르지 않는다고 쓰였다. 그래서 천지 만물은 본받고 따라야 할 것이 있지만 오직 道만은 스스로 그러함을 본받는다(法自然)고 하여 '자율'임을 분명히 했다. 이는 道가 곧 꼭지다는 의미다. 그런데 왕필은 여기서 뚱딴지처럼 갑자기 道보다 앞선 玄이 있다고 注를 해버린 것이다. 이는 명백한 誤解다. 道보다 앞선 것은 없다. 노자 어디에도 道보다 앞서는 어떤 것이 있다고 묘사한 문장은 없다. 이 해석은 리사이클이 불가능한 쓰레기다. 이런

注가 2천여 년 동안 노자 해석의 모범 답처럼 쓰이고 있다. 결론적으로 萬物과 道에 대응해 은유적으로 표현한 玄의 본뜻을 문장에서 읽어내지 못하고, 마치 無의 세계인 冥으로 해석해 궁극의 '꼭지'로 注한 것은, 전혀 객관성이 없는 주장이자 달변가인 智의 전형적인 감언이설일 뿐이다.

저자는 왕필의 노자 注를 왜 玄學이라 하는지, 그 근거가 무엇인지, 이 문장을 번역하고서 이해가 되었다. 그러나 老子는 道에 앞서는 玄을 언급한 적이 없다. 또 玄은 假名인 존재자가 아니어서 始나 母를 낳고 할 것이 못 된다. 초간노자에서 玄은 오직 玄同이라고 1회 나오는데, 정치술로 老子가 주장하는 군주의 살아가는 모습을 묘사한 문구다.

노자는 현학이 아니다. 형이상인 道에 대한 언급은 고작 몇 줄 밖에 나오지 않는다. 그것도 만인의 존재가치와 군주의 술을 설명하기 위한 수단으로서 언급될 뿐이다. 이것을 백서본과 통용본이 玄字를 많이 넣어 현학으로 보이게끔 왜곡했고, 이에 왕필과 같은 자가 뜻도 모르면서 설익은 지식으로 玄을 덥석 물고서 현학으로 注를 해버렸을 뿐이다. 하지만 노자는 정치를 논한 한 편의 논문이다. 그 철학적 근거가 너무 심오해 지금껏 잘못 이해하고 왔을 뿐이다.

而言同謂之『玄』者, 取於不可得而謂之然也. 不可得而謂之然, 則不可以定乎一玄已. 若定乎一玄, 則是名則失之遠矣. 故曰『玄之又玄』也.

그리고 '동위지『현』'을 말하면, 획득이 불가함에서 취할 뿐이어서 이르(謂)는 것이 그러함(然)이다 함이라. 얻기가 不可해서 이르는 것이 그러함(然)이란, 곧 정함으로써가 불가함이 아닌가? (즉) 한 개의 玄으로 그치기로. 만약 한 개의 가믈 현으로 정함이라면, 名은 곧 멀리 잃어버림인 것이 맞는 법칙이지 않겠는가! 그러므로 말하길, 『현지우현』이다 함이라.

[해설]

계속 玄에 대한 왕필 注다. '동위지현 현지우현'의 설명으로, 왕필은 마지막 중묘지문까지 玄을 꼭지로 놓고 주석한다. 번역은 했지만, 현학의 설명이라 注마저도 이해가 쉽지 않다. 문장에서 同謂之玄을 뭉뚱그려서 왕필은 然으로 정의한다. 문맥상 然은 偶然을 뜻한 것으로 보인다. 즉 우연에 의한 사물의 출현은 하나의 玄으로 정하기가 불가능하다. 그래서 玄이 한 번으로 끝나지 않고 계속해서 '가믄 것이 또 가믈다'고 한 것이니, 천지·만물이 쭉 계속된다는 표현을 한 것으로 보인다. 즉 玄은 이름도 아니고 하나도 아닌, 쉼 없이 계속되는 프로세스여서 현지우현이라고 한 것이다는 뜻으로 읽힌다. 도올의 해석이 이런 식 같다. 하지만 老子는 결코 이런 뜻으로 말을 한 적이 없다. 당연히 이 注는 왕필의 想像 속 글이다.

왕필의 현학적인 注는 마지막 중묘지문으로 대미를 장식한다.

『衆妙』皆從玄而出, 故曰『衆妙之門』也.」

『중묘』는 모두 가믈 玄을 따라서 나오니, 그러므로 가로되 『중묘지문』이라 함이다.

저자가 보기로는 중묘지문을 해설해주어야 할 것 같은데 이러고 넘어간다. 앞의 注와 잇는다면 중묘를 천지·만물로 생각하는 것 같은데 구체적인 문장이 없어 단정할 수는 없다. 하지만 여기의 묘는 3연의 묘와 똑같은 뜻이다. 따라서 문장으로 읽고 뜻을 연결하면 중묘지문의 뜻도 잃을 수 있는 내용인데, 현학으로 풀이하다 보니 母(道)에 이어 衆妙마저 玄에서 나온다고 한 것이다. 저자의 풀이를 재생하면, 묘는 어머니의 표출된 모습이요 중묘지문은 (백성)이 (소리)치는 (나라)인 까닭에, 중묘가 나오는 것은 없다. 즉 중묘는 나오지 않는다. 오직 어머니의 입을 대신하는 중묘지문인 백성의 함성만 있을 뿐이다.

한편, 왕필이 제3연의 妙와 같은 뜻으로 풀었다면, 앞서 妙를 微之極也라고 하고 이어 萬物始於微而後成이라 했기에, 현〉묘=미(지극)〉만물로 발현되는 것이어서, 중묘는 곧 衆母요 모는 곧 도니 衆道다. 또 만물은 微에서 시작하니 衆妙가 곧 어머니다는 말이 된다. 한데 老子는 道를 만물지모라고 언급했지, 중묘를 어머니로 묘사하지 않았다. 또 중모는 중도라는 말인데, 道는 一體이기에 중도가 될 수 없다.

즉 衆을 쓸 수 없다.

결론은, 왕필이 어떤 논리로 玄을 등장시키고 중묘를 道와 같은 어머니로 보는지 모르겠으나, 이는 길에서 한참 엇나간 것으로, 간단명료한 老子의 내용을 흐트러뜨린 것일 뿐이다. 즉 우리는 2천여 년 동안 왕필의 注를 최고의 해석이라며 감동하며 읽어왔으나, 왕필의 현학은 헛소리로 점철된 궤변일 뿐이다. 지금은 비록 저자만 아니다 지적하지만 결국은 그리될 것이다.

다만 왕필의 입장에서 변명하자면, 이렇게 해석할 수밖에 없는 사정은 충분히 알 것 같다. 저자도 시도했지만 통용본으로는 제3연부터 문맥이 이어지지 않아 뜻을 풀 수가 없었기 때문이다. 아마 한비도 월암도 초원도 그랬을지 모른다. 그래서 왕필은 제1연을 한비처럼 하지 않고 새롭게 창조한 것일 수 있다. 즉 이런 注도 머리가 있어야 할 수 있는 것이다. 그러나 백서본·초간본이 나온 지금은 다르다. 뜻을 읽을 기회를 스스로 찾기 때문이다. 비판받아 마땅하다.

왕필의 注가 끝났다. 이어 타인의 注를 요약정리한 고명의 주장 글로 마무리하고 있다.

所謂「玄」, 是一非常抽象的描述, 形容其深遠黝然而不可知.
蘇轍云..「凡遠而無所至極者, 其色必玄, 故老子常以『玄』其極也.」 王弼認爲, 老子以『玄』形容一種「冥黙無有」的狀態. 不是確定的名稱, 是對「道」的形容, 而是不可稱謂之稱謂.

他在老子指略中說..「然則道,玄,深,大,微,遠之言,各有其義,未盡其極者也. 然彌綸無極, 不可曰『細』..微妙無形,不可名『大』. 是以篇云『字之曰道』,『謂之曰玄』而不名也.」

이른바 「玄」은, 영원히 추상의 그리기식 설명으로 하나가 아님이 바르니, 그의 깊고 멀며 검푸른 그러함을 형용한다 해도 알기는 不可하다.

(그래서) 蘇轍이 이르기를..「무릇 멀 뿐 끝에 이를 곳이 없는 놈이란, 그는 색이 반드시 가프(玄)니, 그러므로 老子는 항상 『현』으로 그의 끝을 썼다 함이라.」(고 했고,) 王弼도, 老子는 「현」으로써 일종의 「깊숙하고 고요하여 어떤 있음도 없음(명묵무유)」의 상태를 나타냈다고, 인정했다. (까닭에) 확정적인 이름(名稱)으로는 옳지 않지만, 「도」를 상대하는 형용으로는 옳으니, 호칭이 불가한 것으로 호칭함이 옳다.

다른 노자지략 속에 있는 설명이다..「然은 곧 道고, 玄이고, 深이고,大고, 微고, 먼 것을 말하니, 각각 그 뜻이 있지만, 아직 그 끝이 다함인 놈은 아니다 함이라. 그러함에, 끝이 없음을 일괄처리하여, 가로되『세』는 불가하다., 미묘하고 무형이니, 『대』란 이름도 불가하다. 이 때문에 책은 『자지왈도』이니,『일컫는 것이 가로되 玄』이며 그리고 이름은 아니다고 함이라.」

[해설] 고명도 문장 속에서 玄의 뜻을 찾는 것이 아니라, 다른 학자

들처럼 玄이라는 단어에 대해서 注를 하는 꼴이다. 왕필의 注를 다시 언급하는 수준의 해석이어서 특별히 더할 것은 없다.

정리하면 현학계는 가믈 玄이라는 漢字에 풀지 못한 문장을 넣어 버리는 것 같다. 즉 논리적으로 설명할 수 없는 것은 온통 현으로 묶어버렸다. 그 뜻을 집약한 것이 고명의 첫 문장이다. 즉 결국 玄은 不可知다.

하지만 4연의 원문은 백서갑본 '양자동,출 이명동위 현지유현 중묘지문'이며, 이때 은유적 표현인 玄의 眞義는 萬人과 道다. 분명하고 간단하지 않은가?!

왕필은 그럴 수 있다. 통용본으로는 저자도 왕필 이상은 어려울 것이기 때문이다. 인용한 송대의 지식인 소철도 마찬가지다. 하지만 백서본을 읽고 연구한 고명은 다르다. 그는 노자를 바르게 해석할 기회를 스스로 버려버렸다. 도올은 더 심하다. 초간노자를 만나고 낸 책이 '노자가 옳았다'이기 때문이다.

노자는 옳다. 하지만 老子 이후 후인들은 노자를 따르지 않고, 왜곡된 도덕경을 만들어 읽으면서 '노자가 옳았다'고만 했다.

[문법] 부분부정과 전체부정에 관한 **構文論**

(非常道 · 非常名과 常無欲 · 常有欲의 常에 대한 연구)

漢文은 孤立語이다. 즉, 語形변화가 없고 문장을 구성할 때 우리말처럼 토씨가 없이 낱말이 문장 속에서의 기능에 따라 품사가 결정된다. 예를 들어서 鳥飛에서 飛는 새가 '나른다'는 뜻을 나타내는 動詞이나, 飛鳥라고 할 때는 '나르는' 새라고 해서 형용사가 된다. 이와 같이 한문에서는 품사의 구분을 문장 속에서의 기능과 의미를 기준으로 한다. 지금은 서양 문법 이론이 들어온 이후, 實辭와 虛辭로만 나누던 것을 名詞 代詞 動詞 등 9품사로 나누고 있지만, 중요한 역할을 하는 것은 아니다.[35]

한문법이란 한자로 씌여진 文言文의 구성과 거기에 따른 여러 가지 規則을 말한다. 특히 고립어인 한문은 문법의 준수가 철저히 요구되는 언어다. 왜냐하면, 최근 9품사로 나누는 경향이 있다고는 해도, 한문은 어디까지나 어형의 변화가 없이 문장 속에서의 기능에 따라 품사가 결정되는 언어이기 때문이다. 그래서 한문은 어형변화가 있는 우리말이나 영어와 달리 한문법의 준수가 절실한 언어다. 문장을 전혀 엉뚱한 글로 번역하지 않는 유일한 수단이기 때문이다.

저자가 글을 장황하게 쓴 것은 바로 '도가도비상도' 등 제1장에 쓰

---

35) 漢文入門 (김학주·김재승 공저) 내용 일부 편집 인용,

인 常(恒) 때문이다. 즉 주류학계와 저자가 常을 다르게 번역한바, 이하나로 노자를 이해하는 것이 갈라져 버렸다 해도 해도 과언이 아닐 정도로 중요한 역할을 차지하기 때문이다.

고명의 주에서 보듯, 현학계는 '도가도비상도'를 '말할 수 있는 도는 상도가 아니다'처럼 상도를 묶든지 또는 '도를 도라고 말하면 영원한 도가 아니다'와 같이 常을 형용사로 해서 道를 수식하는 꼴로 번역한다. 도올 역시 그렇다.

그런데 常은 必처럼 원래 품사로는 '항상, 늘, 언제나, 영원히'가 본뜻인 부사다. 그래서 문장 속의 기능을 고려하지 않는다면 번역은 당연히 본뜻인 부사가 먼저여야 한다. 더욱이 常은 道可道 非常道 문장처럼 부정어 非와 체언인 道 사이에 위치할 때, 구문론 상으로 부사여야 한다. 즉 문법이 있다. 대부분 이때 체언인 道를 의식해 常을 형용사로 번역하는데 문법적으로 틀리다. 즉 常(恒)은 道를 꾸미는 형용사가 아니라, 영문법적으로 보자면 빈도부사로, 부정어 非 다음에 위치하여 문장 속에서 '부분부정'을 나타내는 부사다. 즉 구문론 상으로 常은 형용사가 아니라 부사여야 맞다.

이 용법은 한문법적으로 상당히 중요한 의미를 차지하는 듯, 부분부정 전체부정에 관한 용례는 고등학교 漢文교재에도 나온다.

• 必의 쓰임 : 必자를 사용하여 강한 확신이나 결정적인 태도를 나타낸다. 부
정사와 결합하여 완전 부정이나 부분 부정을 만들기도 한다.
⟨예⟩ 必以水路爲貴 : 반드시 수로를 귀하게 여긴다.
　　勇者 不必有仁(부분 부정)
　　人雖不用 神必不舍也(완전 부정)

(고등학교 漢文, ㈜천재교육, p220)

예시문은 必이 부정사 不과 결합한 것으로, 이 문법을 일반화하면,
必처럼 전체, 전부나 최고를 표현하는 부사(즉 常도 포함됨)가 부정사
(非,未,無,不 등)와 결합하면, 부사가 부정사의 앞에 위치하는가 혹은
뒤에 위치하는가에 따라 부분부정, 전체부정의 뜻을 나타낸다.

이를 정리하면,
부분부정 : 부정사(非,未,無,不 등)+必,常(恒),皆 등 부사+내용
전체부정 : 必,常(恒),皆 등 + 부정사(非,未,無,不 등)+내용, 이다.

즉 교과서 첫 문장은 '勇者라고 반드시 어짊이 있음은 아니다'처럼
없을 수도 있다는 꼴로 번역해야 하고, 끝 문장은 '사람이 비록 소용
없다 할지라도, 신은 반드시 버려두지 않는다'처럼 결코 않는다고 해
야 한다.

우리는 대화에서 '반드시, 다, 모두, 전부, 항상' 등의 부사를 자주
사용하는데, 句文에서는 표현이 많지 않은 것 같다. 특히 必 외에는

보이지 않는다. 저자가 한문장을 많이 읽지 않아 찾지 못했을 수도 있겠으나, 한문교재도 必만 예문을 든 것을 보면, 한문장에서 常,最,皆 등이 빈도부사로 사용된 용례는 드문 것 같다.

예시를 더 보자. 앞서 양경이 道를 '말하다'로 번역한 문장이 '순자의 영욕편'글이었다. 자료를 읽다 보니, 영욕편에는 마침 부분부정과 전체부정으로 쓰인 문장이 모두 있었다.

순자 영욕편

仁義德行, 常安之術也, 然而未必不危也, 汚僈突盜, 常危之術也, 然而未必不安也. 故君子道其常, 而小人道其怪.

어질고 뜻있고 덕스러운 행동은, 늘 (심신을) 안전하게 하는 방책인 것이다 함이나, 그렇다고 반드시 (심신이) 위태롭지 않은 것은 아니다. 추하게 살고 남을 얕보고 남에게 사납고 남의 것을 훔치고 하는 건, 늘 (심신을) 위태롭게 하는 수단인 것이다 함이나, 그렇다고 반드시 안전하지 않은 것은 아니다 함이라. 까닭에 군자는 자신의 변함없는 常을 따르고, 소인은 그의 정상적이지 않은 기이한 행동을 따른다.
※ 未必不危(安)는, 부정어 未 +必 +不危(安)의 문장으로, 부분부정의 뜻이다.

故君子者,信矣,而亦欲人之信己也, 忠矣,而亦欲人之親己也, 修正治辨矣,而亦欲人之善己也. 慮之易知也,行之易安也, 持之易立也, 成則必得其所好,必不遇其所惡焉.

그러므로 군자란 믿음이 아닌가. 그래서 역시 남들도 자기를 믿는 것이다. (군자란) 정성을 다함(忠)이 아닌가. 그래서 사람들이 자기와 친한 것이다. (군자란) 바름으로 몸을 닦고 분명한 다스림이 아닌가. 그래서 사람들이 자기를 착한 자다 함이라. 생각하는 것은 알기 쉽고, 나아가 행하는 것은 편안하기가 쉬우며, 지키고 보존하는 것은 서기가 쉽다. 이루면 그가 좋아하는 것을 반드시 얻고, 그가 싫어하는 바는 반드시 만나지 않는 법이다.

※ 마지막 문장 必不遇는, 必 + 부정어 +遇의 문장으로, 전체부정 의 뜻이다

예시문장에 대한 다른 번역자의 글도 모두 저자처럼 부분부정과 전체부정으로 번역하고 있었다. 이는 부사적 용법이 대부분인 必의 특성 이기도 하지만, 문장도 그렇게 읽힐 수밖에 없기 때문이다. 다음 〈논어집주〉의 문장도 마찬가지다.

〈논어〉 이인편 子曰苟志於仁矣無惡也를 주석한 문장이다. 앞의 예시와 유사한데, 역시 必로 쓰였다.

苟誠也 志者心之所之也 其心誠在於仁則必無爲惡之事矣. 楊氏曰 苟志於仁未必無過擧也然而爲惡則無矣

苟는 '정성 성'이다 함이라. 志란 마음인 것의 장소인 것(목적지)이

다 함이라. 그의 마음이 정성을 다하여 (항상) 仁에 있다면 결코 惡을 행하는 일은 없지 않을까? 양씨가 말하길, 진실로 仁에 뜻이 있으면, 반드시 꼭 잘못이 없음은 아니다 함이나, 그러고서 惡을 행함은 없지 않겠는가?

※ 전체부정 : 必 + 無(부정어) +爲惡之事矣의 문장
※ 부분부정 : 未(부정어) + 必 +無過擧也의 문장

역시 예시문장에 대한 다른 역자의 번역도 비슷했다. 그런데도 유독 노자의 제1장 첫 문장 도가도비상도에서는 常을 부사로 읽기를 꺼린다. 하지만 '비상도'는 '상도가 아니다'로 번역해서는 안 되고, '늘 도는 아니다'처럼 부분부정으로 번역해야 바르다. 그것이 바른 문법이다.

(한비를 제외하고) 중국인이 형용사로 본 것을 저자가 부사로 본다는 것은 말이 안 된다고 주장하는 이도 있겠지만, 한문은 뜻글자이기 때문에, 중국인도 저자와 똑같이 한 자 한 자 외우고 문법을 터득하고 문장을 읽고 해석할 수 있는 자나 알 수 있는 고립문자일 뿐이다. 당연히 그들도 배워야 하는 것이다.

특히 한문은 한 번의 독해로는 내용을 알기 어려운 글자다. 표점이나 띄우기가 없는 대신 고립어라서 품사를 왜곡하기가 쉽기 때문이다. 그래서 고문은 진득하니 읽어야 한다. 단 한 번의 독해로는 엉뚱한 글로 만들기 쉽다. 그래도 이 문장은 처음 이 문법을 모른 상태에서도

부사로 번역했었다. 문맥상 부사가 어울렸기 때문이다. 책의 예문은 그 후에 찾은 것이다. 당연히 常은 必처럼 빈도부사로 봄이 바르다.

저자는 常도 영문법상 빈도부사라, 어딘가 용례가 있을 것으로 생각하고, 눈여겨봤으나 찾지를 못하다가, 도올의 책 속에서 찾았다. 그것도 도올이 자신의 논리를 펴기 위해 인용한 월암의 문장에서 常을 부사로 사용한 문장을 봤다. 너무나 반가웠다. 이는 그때 이야기를 하겠고 先人이 사용했다면 분명히 다른 문장에서도 있을 것이다.

설령 이 문법을 부정한다고 해도, 역해자라면, 常을 부사로도 형용사로도 모두 번역해보고 전후 문장과 이어지는지를 따져봐야 했다. 그것이 바른 독해다. 만약 두 경우로 번역하고 노자의 다른 내용과도 이어본다면, 이 문장은 부사로 읽어야 내용이 반듯하게 이어진다는 것과 명가명비상명도 앞의 道 이야기였음을 알 수 있었을 것이다.

한편 도올처럼 번역하는 주류학계는 어쩔 수 없이 道가 아닌 常道의 의미를 찾고자 노력했다. 왜냐하면, '말할 수 있는 도는 상도가 아니다'고 번역을 한 까닭에, '도〈상도'인 부등호가 성립하기 때문이다. 앞서 고명도 상도를 '영원히 존재하는 도'로 특별하게 취급하여 道와 달리 보는 주석을 올렸었다. 도올이 고명의 책을 봤는지 아닌지는 알수 없으나, 자신의 책에서 이 부분을 집중적으로 이야기한다.

재론하지만, 한문은 고립어이자 뜻글자다. 한 자마다 고유의 뜻이 있는 반면에 문장 속 기능에 따라 품사가 정해진다. 그래서 만약 누군가 漢字를 다른 한자로 고치거나, 자국인이 注를 하면서 漢字를 뺀다거나, 외국인이 번역하면서 문법을 지키지 않거나, 한 자라도 생략하거나 띄우기를 잘못하면, 품사도 변하고 전혀 다른 뜻이 되는 것이 한문장이다. 한문은 이것이 쉽다. 왜곡이 쉬운 것도 이런 이유다. 그래서 더욱 한문법을 지키는 것이 중요하다.

[쉼터] 한문은 문법이 간절한 표의문자다.

한문은 초기 문법이 불규칙했다는 주장을 어디서 본 것 같은데, 어떤 근거로 주장되는지 궁금하다. 그들에게 전국시대의 죽간을 직접 번역해봤냐고 묻고 싶다. 저자는 중국인들이 전국시대 초나라의 竹簡이라고 말하는 곽점초묘죽간과 상해박물관장전국초죽서를 읽고 번역한 책도 출간했다. 그래서 자신있게 말할 수 있다. 문법은 애초에 존재했다. 즉 이미 나라마다 문법이 있었고 그 문법에 맞춰 문장은 쓰였다.

이게 상식 아닌가? 문장이 있다는 것은 최소한 객관적인 문법이 존재했다는 증거다. 문법이 없는데 어떻게 문장이 있을 수 있겠는가? 읽는 자마다 자신만의 방식(문법)으로 문장을 읽는다면, 더군다나 뜻글자인 고립문자 한문에서, 그것이 문장일 수 있는가?

만약 우리말로, "사랑해, 아니라, 하늘 땅 만큼, 시킨 게, 진짜, 누가, 정말 정말, 너를"했다면, 우리는 말이 되게 문자를 이을 수 있다. 왜냐면 우리 한글은 어간과 어미가 나뉘고 조사가 분명하기 때문이다. 하지만 한문은 고립어다. 뜻만을 쥐었을 뿐 모든 것은 위치가 결정한다. 그런데도 초기 문법이 불규칙할 수 있을까?! 이는 궤변이다. 漢文은 표음문자보다 더욱 문법이 중요한 문자다.

저자가 이미 출간한 공자의 정치론 항백은, 禮記의 한 개 편으로 현재까지 전해져온 치의다. 중국인들은 죽간을 緇衣로 썼는데, 저자가 역해를 해보니, 항백이 내용에 합당해 그리 한 것이다. 즉 치의는 내용이 왜곡된 것이다. (이후 항백으로 통일한다.)

항백은 공자의 정치론이다. 하지만 오늘날 전하는 치의는 내용이 많이 희석되어 있다. 이미 항백을 치의로 읽은 것이 그 증표다. 어쨌든 孔子의 사상으로는 중요한 내용인 듯 항백은 상박초간과 곽점초간에 모두 있었다. 이는 한문학을 연구하는 자에게는 축복이다. 전국시대의 고문으로 쓰인 항백 2편을 오늘날 존재하는 항백과 비교할 수 있고 고문법을 연구할 좋은 기회이기 때문이다. 그러나 중국측은 이 기회를 버렸다. 즉 일차로 상박과 곽점의 항백에 쓰인 서로 다른 漢字를 모두 유사글자나 이체자로 보고 같다고 해버리는 어리석은 짓을 범했다. 다음에 두 죽간과 오늘날 전하는 항백의 내용은 같다고 해버린 것이다.

하지만 저자가 두 죽간을 검토한바, 곽점초간의 항백은 이미 왜곡되어 있었다. 특히 왕에게 전하기 어렵거나 지배층에 두려운 문장은 거의 漢字가 바뀌어 그중에는 문법적으로 읽기 어려운 틀린 문장도 있었다. 반면 상박항백은 지금의 한문법 즉 가장 기본인 주술목보의 형식으로 반듯하게 번역이 되었다. 즉 오늘날의 문법으로 읽어도 단 한 군데의 막힘도 없이 번역되었다. 내용도 반듯했다. 이는 정말 중요한 의미를 시사한다. 왜곡은 아주 오래전 즉 전국시대부터 시작되었다는 것을 뜻하기 때문이다. 물론 오늘날의 항백은 한자가 곽점초간보다 더 고쳐져 있다. 그래서 오늘날 전하는 항백도 한문법적으로 번역이 어려운 문장이 있다.

정리하면, 한문법은 처음부터 규칙이 있었다. 그리고 서주까지도 잘 지켜지고 있었다. 이것이 지켜지지 않고 흐트러지기 시작한 것은, 전국시대를 거치면서 군주나 지식인에게 껄끄러운 내용이 집단이나 지배층에 의해 조직적으로 고쳐지면서 일어난 것이다. 이것이 통일 진나라의 통일정책 즉 나라마다 문자나 크기가 달랐던 것을 강제로 통합한 소위 車同軌 書同文의 시행으로 합체문자가 사라지면서 더 기름을 부은 것이다. 초간노자만 봐도 합체문자가 꽤 보이는데, 이것들이 사라지면서 내용도 왜곡되고 문법도 흐트러졌던 것이다.

즉 춘추시대부터 시작된, 군주나 신하를 향한 껄끄러운 문장의 왜곡과 통일 진나라의 통일정책으로 합체문자가 사라진 2가지 요인으로, 일찍이 춘추전국시대부터 책들은 소위 이체자라고 하는 한자들로 쓰이기 시작했다는 말이다. 즉 오늘날 이체자나 문법적으로 문제가 되는 문장은 모두 혼란기나 진나라 때 왜곡된 것일 뿐, 원래 문장은 문법적으로 아무런 저촉이 없었다.

중국인들은 이체자를 사용한 근거로 초기에 한자가 적었다는 것을 든다. 즉 한나라 때 작성된 설문해자가 약 1만여 자인 것을 보고 그 이전은 훨씬 적었다고 주장한다. 하지만 說文解字는 왜곡된 자전이다. 즉 의도적으로 껄끄럽거나 나타내기 어려운 한자는 넣지 않았다. 이를 증명하기는 쉽다. 즉 이미 발굴된 죽간의 한자를 정리하여 설문해자에 없는 한자를 찾아보면 끝이다. 초간노자만 읽어봐도 설문해자에 없는 漢字가 많다.

한자가 만들어진 초창기는 한자 수가 적을 수 있다. 그러나 문자를 만든 이후에는 언어와 대응하는 문자는 쉽게 만들어졌다고 저자는 생각한다. 즉 폭발적으로 증가했다. 그 예가 합체문자다. 이미 만들어진 한자로 얼마든지 글자는 새로 만들 수 있었다. 이게 상식이다. 문장을 쓰는데 아버지라는 글자가 없다고 아버지를 쓸 자리에 어머니를 썼다는 것이 가능하다고 생각하는가?! 이는 전혀 상식적이지 않다.

저자는 이미 2권의 책으로 증명했다. 춘추전국시대부터 군주나 나라에 따라 왜곡이 횡행했을 뿐 이체자는 없다.

조금만 떨어져 생각하면, 중국측이 주장하는 이체자 논리가 말이 되지 않다는 것을 알 수 있는데도, 우리 석학들은 왜 중국의 논리를 맹목적으로 추종하는 것인지 모르겠다. 중국인이 주장하는 논리는 곱씹어 봐야 한다. 행간의 의미뿐만 아니라 고금의 역사와 정치까지도 넣고 봐야 진정한 뜻을 알 수 있을 것이다.

혹 저자의 글에 의문을 가지는 독자가 있고 읽기가 가능하다면, 竹簡과 지금까지 전해지는 문집, 즉 예를 들어 '항백(치의)'나 '노자'의 문장을 비교해 읽어보기를 권한다. 옛것은 문법적으로 완벽하지만 지금 남아 있는 책은 문법적으로 읽기가 어려운 문장이 상당할 것이다.

{책 '노자가 옳았다'36) 비평}, 제1장.

[인트로] 도올의 노자 제1,2,3장의 번역과 해석은 대부분 본뜻에 엇나간 내용이다. 이는 중국의 왕필과 하상공의 注를 따르는 노자 注解書 모두 비슷해 꼭 그만의 문제는 아니다. 그래도 논한 이유는 책에 많은 내용을 담아 시빗거리도 많았기 때문이다.

1. 沃案37)

"난 너를 사랑해."

어느 여학생이 어느 남학생에게 이런 말을 했다고 하자. 이 말이 어느 상황에서, 어떤 분위기 속에서, 어떤 사람에게 던져졌는지, 그리고 이 두 사람은 어떠한 관계를 지녀온 사람들인지, 이런 모든 함수가 정밀하게 논의되어야만 이 말의 진정한 의미가 밝혀지겠지만, 과연 이 말을 들은 남학생은 무엇을 느꼈을까?…그런데 "사랑해"를 말로 하지 않고, 얼굴을 살짝 붉혔다든가,…했다면 과연 어떤 느낌이었을까?(p14)…아마도…"사랑해"라고 말로 하는 것보다는 얼굴을 붉히는, 언어 이전의 표정의 전달력이 더 효과적일 수 있다, 더 내면의 실상을 잘 나타내주고 있다라고 생각할 것이다.

---

36) 책에는 많은 외국어 표기가 있으나 한문을 제외한 외국어 표기는 생략을 원칙으로 했다.
37) 해석 글을 자신의 이름 끝 자를 써서 '옥안'이라고 표현하고 있다. 번호는 비평의 편리를 위해 저자가 넣은 것이다.

여기 가장 중요한 테마는 "말로 표현되었다"는 사실이다. 이것을 줄여서 "언표言表"되었다고 해보자. (p15)

(一老) 노자 제1장 첫 문장 '도가도 비상도'를 설명하기 위한 첫 멘트가 '난 너를 사랑해'다. 자신의 주장을 펼치기 위해 예시문장으로 해설의 문을 열고 있다.

이런 방식은 해석자의 생각을 독자에게 설득시키기는 좋지만 반대로 독자가 노자의 해석을 是非하기는 어렵다. 왜냐하면, 고문이 없는 상태로 글쓴이의 주장을 먼저 펼치는 방식은 古文 내용의 가부를 따질 수 없기 때문이다. 저자처럼 노자 책을 낸 자나 행간의 의미를 이해하고 처음부터 시비를 논할 수 있지, 노자를 알고자 접하는 독자는 그냥 흡수될 뿐 시비는 꿈도 할 수 없다. 그래서 저자가 비평하자면, 이런 고문 해석은 지양해야 한다고 본다. 고문은 자신의 글이 아니기 때문이다. 즉 이 방식은 노자의 글이 중심이 아니라 도올의 해석이 노자의 글을 덮어버리는 형국이어서 좋은 모양새가 아니다.

'난 너를 사랑해'라고 여학생이 남학생에게 고백한 것은 언표된 것이다. 그리고 도올은 언어 이전의 표정의 전달력이 더 효과적이고, 내면의 실상을 잘 나타내준다고 생각한다. 즉 言表보다는 얼굴을 붉히는 오감의 표현이 더 효과적이고 내심을 나타내준다고 본다. 도올이 이렇게 주장하는 것은, '도가도 비상도'를 '도를 도라고 말하면 상도

(그것은 늘 그러한 도)가 아니다'고 번역하기 때문이다. 현학 쪽 학자들은 모두 첫 문장을 이런 꼴로 번역하는데, 그 근저에는 왕필의 주가 있다. 즉 왕필이 첫 문장의 注에서 언표를 부정하는 해석을 단 후, 현학 쪽 사람들이 모두 이를 따르다 보니 발생한 것이다. 하지만 왕필의 주는 틀렸다. 그는 제1장의 어느 문장도 바르게 주석한 것이 없다. 당연히 이를 따르는 중국의 高明과 같은 현학계나 도올의 해석도 노자의 내용과는 거리가 멀다.

언표는 중요하다. 말에는 감정과 느낌과 억양 등을 실을 수 있고, 그것을 통해 자신의 마음을 보일 수 있다. 물론 언표하지 않고 표정으로 마음을 나타낼 수도 있다. 하지만, 표현하지 않는 마음을 읽는 것은 위험하다. 아직 인간은 독심술의 단계에까지 진화하지 못해서, 언표하지 않은 마음의 이해는 자칫 주관적일 수 있기 때문이다. 아직 우리는 궁예가 아니다. 도올이 예시한, '난 너를 사랑해'라는 말을 들은 남학생은, 도올이 묘사한 대로, 시간, 장소, 억양, 감정, 그리고 그동안 지내온 둘만의 시간 등 모든 함수를 참작하여 이해했을 것이다.

2. 사실 이 책은 평생 나의 사유의 기반이었던 『노자』라는 서물의 내용을 아주 쉽게, 원문에 대한 주해형식을 취하지 않고, 실제적으로 우리의 삶에 던져주는 의미만을 선별하여 해설하는 방식으로 풀이하기 위하여 집필된 것이다.…내가 이런 집필을 기획하게 된 가장 직접적인 이유는 『노자』에 관한 나의 사유가 너무 깊고 넓어서 점점 집필이 불가능해지는 방향으

로 진행되고 있다는 공포감이 들었기 때문이다.…그래서 이런 학술적 작업을 포기하고 쉽게 대중과 호흡하는 방식으로 쓰자, 하고 큰맘을 먹었지만 자꾸 어려워지는 느낌이 드는 것이다.(p15)…그런데 지금 이 논의가 어려워지고 있는 제1의 이유는 『노자』는 전체가 81장으로 구성되어 있는데, 첫머리에 해당되는 "제1장"의 내용이 81장 전체를 포섭하는, 그러니까 2장부터 81장까지의 전 내용이 연역될 수 있는 대전제와도 같은 성격을 지니고 있어, 지극히 함축적이라는 사실 때문이다. (p16)

(저자)〉 도올의 노자 해석은 왕필의 注이자 중국측 주류학계 방향인 玄學적 해석에 오색 무지개를 덧칠한 것일 뿐 특이할 것은 없다. 즉 제1장의 어떤 문장도 바르게 읽지 못한 오류투성이인 왕필 注로 채워진 노자 해석서일 뿐이다. 그런데도 노자가 평생 도올의 사유 기반이었다니 놀랄 일이다. 도올이 그렇게까지 생각했다면, 이번은 주체적으로 해석했기를 바랐는데, 책 '노자가 옳았다'는 왕필에 더해 조선시대 학자인 초원의 노자 주석서 談老에 빠져 헤어나오지 못하고 있다. 예나 지금이나 도긴개긴이다.

도올이 원문에 대한 주해형식이 아니라, 실제적으로 우리 삶에 던져주는 의미만을 선별하여 해석하는 방식으로 풀려고 했다는 이유는, 노자를 현학으로 이해하기에 설명이 어렵다는 의미다. 하지만 실제적으로 풀려 했다는 글마저 철학적·종교적 용어들로 도배되어 있어 노자를 이해하고 싶은 대중에게는 상당히 어려운 글이다. 그러나 노자를 문장으로 이해한 저자의 글은 형이상인 道의 내용이 있음에도 불구하고, 원문 주해든 우리 삶의 의미든 쉽게 뜻이 이해되는 해석이다.

그동안 읽어내지 못해서 몰랐을 뿐, 제1장도 존재자인 道의 이야기로만 이루어진 글이 아니며 내용도 몇 마디로 정의가 가능한 글이었다. 도올이 제1장 전체를 현학으로 이해하여 동서양의 철학이나 기독교 불교와 같은 종교와 접목해서 설명하려니까 그런 것일 뿐이다. 까닭에 도올이 대중과 호흡하는 방식을 선택하려 해도 자꾸 어려워진다는 것은 첫 단추부터 노자를 잘못 끼웠다는 뜻이다.

제1장이 중요한 것은 맞다. 그래서 제1장에다 놓은 것이다. 즉 초간 노자를 확대·편집한 老子가 道란 이름의 개념 정의와 노자의 철학적 사변인 이원론적 일원론의 뜻을 완벽히 글 속에 함축적으로 넣어 놓았다. 다만 뜻이 깊은 데다가 漢字를 대칭적 단어로 고친 통용본의 왜곡으로 백서갑본이 나오기 전까지는 정확히 내용을 읽지 못했었다.

제1장이 2장부터 81장까지의 전 내용이 연역될 수 있는 대전제와도 같다는 말도 맞다. 제1장의 가장 큰 핵심은 만물과 어머니(道)의 관계 설정인 까닭에 어느 정도 老子의 정치론을 예측할 수 있음이다. 즉 道의 존재론과 그 인식론에 관한 글이지만, 老子가 드러낸 인간관을 토대로 이후 펼쳐질 군주의 정치와 삶의 방향을 예상할 수 있다. 즉 정치에 관한 도덕적 당위론은 바로 제1장을 전제로 펼쳐진 것이다. 물

론 도올이 말하고자 하는 대전제의 내용은 저자와 전혀 다르다.

도올은 독자를 위해 쉽게 쓰려 노력했다지만 책을 낸 저자도 어렵게 느꼈다. 저자가 이해하는 노자와 너무 다른 용어들이 해설도 없이 해설의 용어로 사용되어 검색 없이는 이해가 쉽지 않았기 때문이다. 하지만 정말 가슴을 후비는 문장은, 「노자에 관한 나의 사유가 너무 깊고 넓어서 점점 집필이 불가능해지는 방향으로 진행되고 있다는 공포감이 들었기 때문이다.」라고 쓴 집필의 이유다. 얼마나 제1장을 현학으로 파고들었으면 사유로 인해 집필이 불가능해지는 공포감이 들었을까? 아무것도 아닌 非常道의 '상' 때문에.

3. "나는 너를 사랑해"라는 명제에서 가장 중요한 것은…言表되었다는 사실이…다. 언표라는 것은 "말로 표현되었다"는 것이다. …말이라는 것은 말로 표현되기 이전에 의식에 떠오른 의미체계를 지칭하는 것으로 이해되고 있다. …말이 선택되기까지 그 이전의 세계는 화자의 의식상에서 복잡하고도 혼돈스러운,…미묘한 감정이 얽혀있는…세계이다. 그런데 그러한 복잡계가, 언어가 선택되는 동시에, 단순계로 이동하는 것이다. 복잡계가 단순계로 이동했다는 것을 우리는 "개념화"되었다고 말한다.…사랑하는 감정이 사랑이라는 개념 속으로 들어와 버렸다는 것이다. (p16)…우리가 일상적으로 쓰고 있는 언어는 사랑하는 실제 행위나 감정으로 이루어진 것이 아니라, "사랑"과도 같은 단순한 개념들로서 이루어진 것이다. 자아! 사랑하는 실제적 감정이 사랑이라는 개념 속으로 들어온다는 것은 과연 무엇을 의미할까? 어떠한 변화가 일어날까?…자아! 언어 이전과 언어 이후는 어떻게 달

라지는 것일까?…(p17) …문장으로 정리하면, 언어 이전의 것 즉 감정, 혼동, 무형, 개별자 등은 언어라는 장벽을 통하면, 이성, 질서, 유형, 보편자 등이 된다는 것이다. 사랑한다라고 하는 미묘하고도 다양한 갈래의 감정행위, 오묘해서 말로 표현하기 힘든 행위가 "사랑한다"라는 말로 언표되는 순간,…사랑은 개념의 틀 속에 갇혀버리고, 고정불변의 관념이 되어버린다. 그럼에도 불구하고 우리가 그러한 언표를 선택하는 이유는 일차적으로 그 표현이 전달이 쉽고, 또 개념적 보편성을 획득하기 때문이다. (p18)

(저자)〉 언어가 사랑하는 실재 행위나 감정으로 이루어진 것이 아니라 사랑과도 같은 단순한 개념들로서 이루어졌다는 표현은, 일편 타당하면서도 수용하기는 미덥지 못하다. 즉 '사랑해'라는 언표는, 앞선 도올의 설명처럼 언어로 표출하는 사람의 억양과 부수되는 떨림, 표정, 상황 등등의 여러 함수가 더해, 감정을 실을 수 있고 느낌도 다르다. 즉 맥락이 없는 단순한 개념으로의 언어면 몰라도 삶을 동반해 입으로 나오는 언표는 내면의 깊은 감정을 담아낼 수 있다. 까닭에 언표를 내면의 감정이 단순화되었다고 할 수는 있겠지만, 그것은 어디까지나 모든 함수를 뺀 내심과 언표 사이의 언어학적 정의일 뿐, 인간의 삶 자체가 입체적이어서 철학에 단순 적용할 것은 아니다. 즉 복잡계, 내면의 감정이 언어를 통과하면 단순계, 개념화된다는 표현은 모든 것을 제한 1차원적 사고에서는 말이 될 수 있겠지만, 언표에는 둘이 지나온 시간과 공간, 앞으로 둘이 만나야 할 삶 그리고 환경 등 수 많은 요소들이 직간접적이고 복합적으로 작용하는 살아 있는 말이다. 그래서 내

심의 것이 "언표되는 순간, …사랑은 개념의 틀 속에 갇혀버리고, 고정불변의 관념이 되어버린다"는 표현은, 철학적으로 인정하기 어렵다.

사랑이라는 감정이 수치화할 수 없는 것이라고 해서 언표가 순간의 감정만을 나타내는 고정불변의 관념일까? 난 아니라고 본다. 만약, 나는 비행기를 사진 속에 담았다면 그 사진 속 비행기는 날고 있는가? 멈춰 있는가? 달리는 기차를 사진에 담았다면 사진 속 기차는 멈췄는가? 달리는가? 비행기는 계속 날고 기차는 달리고 있다. 즉 어느 지점에서 끊어지지 않고 이어졌다면, '계속이다'고 말할 수 있다. 언표된 사랑도 마찬가지다. 언표 후에도 표출되는 말과 행동으로 사랑이 계속된다면, 언표(와 내심의) 그 지점의 전후는 계속해서 이어져 있다고 봐야 한다. 그것은 '계속' 사랑하는 것이다. 즉 사랑이 끊어짐 없이 이어져 계속이다면 어느 시점의 언표는, 순간의 감정도 고정불변도 아니다. 말하지 않는 침묵의 위험을 제거하고 주관적 판단의 오류를 없애는 것은 언표만큼 좋은 것은 없다. 언표가 마음의 전달이 쉽고 또 개념적 보편성을 획득하기 때문이라고 해서, 순간의 감정 상태이거나 사랑하지 않는다고 말할 수는 없는 것이다.

제1장의 첫 문장 '도가도비상도'를 '도를 도라고 말해버리면, 상도가 아니다'로 잘못 번역한 것이, 이처럼 言表의 부정으로 표출된 것이다. 하지만 이는 번역 오류에서 온 잘못된 해석이다.

물론 노자는 말보다는 행동을 요구한다. 제2장만 봐도 行不言之教 (말하지 않는 가르침을 행하다)가 있다. 하지만 이는 다스림의 術로 군주에게 요구하는 것이지 貹나 백성에게 하라는 말이 아니다. (말보다 先行은 지도자의 당연한 덕목이다.) 이마저도 제1장에는 들어있지 않다. 즉 '도가도 비상도'에는 언표를 부정하는 뜻이 없다. 왕필부터 틀려 도올이 의도한 것은 아닐 것이나, 맹목적일 정도로 중국의 註만을 추종한 학자로서의 비판은 피할 수 없다고 본다.

4. 우리가 일상적으로 사용하는 모든 일반명사(고유명사가 아닌)가 개별자가 아닌 보편자이다.…무한대하고 말할 수 있는…나무를 우리는 "나무"라는 단 하나의 보통명사로 다 묶어 표현하고 있다.

언어개념으로서의 나무는 실제로 수천수만 억 개의 실제 나무의 "하나님 God"이라고도 말할 수 있는 것이다. "하나님"을 철학용어로서는 "보편자"라고 표현한다. 현상으로서의 나무는 끊임없이…변하(지만)…우리는 그러한 상태의 변화(와)…무관하게 "나무"라는 보편의 불변개념 하나를 머릿속(즉 관념)에 간직하고 있다.

"사랑한다"라고 하는 감정적 행위는 실상에 있어서는 끊임없이 변하는 것이다. 왜냐하면, 그 행위의 주체 그 자체가 끊임없이 변하는 주체이기 때문이다. "난 너를 사랑해"라는 표현은 사실 그것이 언표된 그 순간의 감정 상태만을 지칭한 것이다. (중간에 변할 수 있으나, 변화는 즉각즉각 반영되지 않아) 언어는 개념화된 틀을 계속 가지고 간다.(p18)…서양사람들은 인간세의 진리의 기준을 언어에 둘 수밖에 없다고 생각했다. 순간순간 변하는 것은 너무 허망하고 신뢰할 수가 없다고 생각했다. …서양문명은 기본적으로 변화를 증오하고 불변, 즉 영원을 사랑한다. 변화에 대한 증오가 하늘에 대한 동경을 낳았고 불변을 사랑하게 되었다. 그러나 우리가 끝내 벗어날 수 없는 이 시공간 속에는 "불변"이라는 것이 존재하지 않는다. 모든 "불변"은 불변(무변화)이 아니라, 변화의 지속태일 뿐이다.(p19)

(저자)〉 나무 이야기가 '사랑해'를 설명하는 사이에 들어와 뜬금없다고 봤는데, 화제의 전환만큼이나 중요한 주장을 펼치고 있다. 도올의 논리대로라면, '나무=실제로 수천수만 억 개의 실제 나무=하나님=보편자=끊임없는 변화 속의 나무'가 된다. 이 주장에는 2가지 큰 논점이 들어있는데, 사람=하나님이고, 하나님도 변화 속의 보편자라는 것이다.

우리가 부르는 구체적인 사물들, 예를 들어 참나무·호랑이·뱀·사자·늑대·담비·개 등등 동식물은 모두 일반(보통)명사다. 이들의 각각에 이름을 부여하여 부르지 않는 한, 고유한 이름을 가진 인간을 제외하고, 동식물은 거의 다. 여기까지는 이해했는데, 갑자기 「언어개념으로서의 나무는 실제로 수천수만 억 개의 실제 나무의 "하나님God"이라고도 말할 수 있는 것이다.」고 말한다. 저자로서는 받아들이기 어려운 주장이다. 언어개념으로서 나무(보통명사)가 실제 개별 나무(고유명사)들의 하나님이 된다는 것은 언어학적 개념 정의로는 가능한지 몰라도, 철학적으로는 논리 비약이다. 당연히 개별 나무의 총화 즉 보통명사인 나무는 그냥 일반명사 나무일 뿐, 나무의 하나님이 될 수 없고 보편자도 아니다. 더 나아가 우리가 상상할 수 있는 우주의 모든 것을 하나로 보고서 하나님이라고 하는 거나, 인간이 곧 하나님이 되는 것도 노자의 글이 될 수 없다.

언표된 것은 시간 속에서 이미 과거다. 인류가 씨도 보이지 않았던 태초의 빅뱅을 논하는 오늘날 그 정도도 모르는 사람이 있을까? 하지만 앞서 예를 든 변증법적 논리로 인해, 언표가 순간만을 지칭한다거나 단절된 과거일 뿐이라고 단언할 수는 없다. 도올의 주장은 복합적인 인간의 삶을 언어학적 정의로 너무 단순화시킨 것에 의존하고 있다. 따라서 「"난 너를 사랑해"라는 표현은 사실 그것이 언표된 그 순간의 감정상태만을 지칭한 것이다.」고 단정하는 것은, 응축된 둘의 사랑을 부정하는, 철학적 관점으로는 옳다고 할 수 없다.

도올의 글 「'그 행위의 주체 그 자체가 끊임없이 변하는 주체이기 때문'에 사랑의 감정적 행위는 실상에 있어서는 끊임없이 변하는 것이다.」는 맞는 말이다. 또 언어가 감정의 변화를 즉각 즉각 반영하지 못한다는 것도 언어학적 정의의 중요한 부분이다

'사랑해'는 시공간에 존재하는 주체로 인해 끊임없이 변한다. 심할 경우, '사랑 안 해'까지 갈 수도 있다. 당연히 '사랑이 변하지 않는다'는 것은 틀리다. 즉 도올이 언표된 '사랑해'에서 도출한 '고정불변의

관념'이라는 표현은 시간을 제한 상태의 언어적 정의다. 당연히 변증법적으로는 끊어질 수도 있고 계속 사랑 중일 수도 있다. (이의 증명은 둘의 문제다) 즉 사랑의 형태나 형식을 뜻하는 내용은 불변일 수 없지만 언표된 사랑은 계속될 수 있다. '불변'과 '영원(계속)'은 의미가 다르기 때문이다.

道나 하나님은 영원불멸하지 영원불변이 아니다. 또 만물의 어머니고 창조주 아버지이기에 사랑은 영원하다. 하나님이 소돔과 고모라 성을 멸하셨다고 인간을 사랑하지 않는 것은 아니다. 만물의 어머니인 道가 백정을 王으로 올렸다고 백성을 사랑하지 않는 것은 아니다. 즉 사람의 행위에 따라 표현이 다를 뿐 사랑하는 마음은 불변인 것이다.

도올은 서양문명을 설명하면서 「불변, 즉 영원을 사랑한다」고 썼다. 그런데 불변과 영원은 개념이 다르다. 즉 변해도 영원할 수 있다. 까닭에 변화와 시간 개념으로 나누어 써야 하는데, 도올은 이것을 가지고 우리가 익히 알고 있는 불변을 다르게 이해한다. 즉, 「우리가 끝내 벗어날 수 없는 이 시공간 속에는 "불변"이라는 것이 존재하지 않는다. 모든 "불변"은 불변(무변화)이 아니라, 변화의 지속태일 뿐이다.」고 말한다. 그러나 동서양을 막론하고, 불변은 '변하지 않음'이지 '변화의 지속태'일 수는 없다. 변화의 지속태가 어떻게 불변일 수 있겠는가!

인간을 포함한 물질은 모두 시공간을 벗어날 수 없고 시작과 끝이 있고, 그래서 언젠가 엄마가 부르면 요단강을 건너야 한다. 이런 이유로 인류가 영생을 동경한 것이 철학적으로 불생불멸을 낳았고, 그것이 노자에서는 道요 서양에서는 하나님으로 나온 것일 수 있다. 물론 영원의 존재자에게 게시 받았을 수도 있다.

노자 제1장을 풀지 못한 중국인이 존재론이 동양에는 없다고 한 것일 뿐 서양문명만이 영원을 사랑한 것은 아니다. 초간노자 제11편(통용본 제25장)에서 老子는 분명 형이상인 존재자의 시공간을 글로 묘사하고 있고, 진시왕은 불노불사하고픈 마음에 선약을 얻으려 신하를 동방으로 보냈다는 글도 있지 않은가? 동서양을 떠나 영원에 대한 동경은 인간의 염원이며 영원함의 개념은 동서양이 다를 수 없다.

5. 우리 동양사람들,…은 불변을 추구할 아무런 이유가 없었다. 모든 이법理法을 불변이 아닌 변화 속에서 추구했다.

불변이란 변화가 전혀 없다는 뜻인데, 그것은 시간의 부정이다. …불변을 추구하는 사람들은…개념화된 언어의 세계를 존중했다. 기실 그 언어의 표준이 수학과 논리였다.…그러나 동방…인의 철학적 관심은 …변화하는 시공간 속의 우주 그 자체에 있었다. 이 변화하는 우주와 어떻게 인간이 화해하면서도 융합된 혼연일체를 이룰 수 있는가 하는 천인합일天人合一에 관심이 있었고, 그에 기초한 우리의 도덕적 삶, 즉 가치관에 지대한 관심이 있었다. … 존재론에 관심이 있는 것이 아니라 도덕적 당위론에 관심이 있었다.[38] 문명의 위기상황에 대한 철저한 반성이 있었다. 『노자』라는 책을 읽으려면 이러한 세계관의 근본적 핵심을 이해하고 있어야 한다. 그렇지 않으면 읽을수록 오해가 생겨난다. 근본이 잘못되어 있으면 그 지엽이 다 뒤틀려 버리는 것이다. (p20)

(저자)〉 동양사상이 변화하는 우주와 인간의 융합된 혼연일체를 이룰 수 있는가 하는 천인합일에 관심이 있었다는 것은 맞다. 바로 이러한 관점에서 써진 것이 노자다. 노자를 정치(통치)의 측면으로만 보자면, 만물은 각각이 고유한 名이자 道의 분신(자식)이기 때문에, 侯王에게 道와 같은 삶(정치)을 살라는 내용이 핵심이다. 老子 정치술이 왜 도덕적 당위론이어야 하는가도 '도자 만물지모'의 관계인 백성의 소리가 곧 어머니(道)의 마음이기 때문이다. 그것을 논한 제1장은 '방법론이 왜 그래야만 하는가'에 관한 준거의 장이다. 그래서 老子 역시 우리의 人乃天 사상처럼 사람(백성)을 곧 하늘로 보는 것이다. 다만 사람이나 하늘이 바로 도를 뜻하지 않는다. 道는 만물의 어머니로 名을 알 수 없는 영원한 존재자이기 때문이다.

동서양의 철학적 관점을, 물론 중국인이 주장한 것이기는 하나, 이분법적으로 보는 도올의 시각은 오류로 보인다. 정도의 차이로 主從 관계를 따져서 동서양으로 나눈다면 모르겠지만, 동양은 변화를 서양은 불변처럼 하나의 사조만을 추구했다고 단정하기는 섣부르다. 이는

---

38) 동양철학에는 인식론이 없다고 한 이는 중국의 교수였던 故 풍우란이다. 그 연장선에서 중국의 현학계는 노자의 道를 형이상의 존재자로 이해하지 않는다. 하지만 이는 제1장의 역해 오류에서 온 것이다.

한비의 노자 注처럼 잘못된 역해에서 온 것이다. 常은 동양에서도 영원함이다. 특히 노자의 도덕적 당위론은 마땅히 제1장 도의 존재와 인식에 기반하고 있다. 즉 老子의 도덕적 당위론은 형이상인 도의 존재 방식에 의존한다.

"불변이란 변화가 전혀 없다는 뜻인데, 그것은 시간의 부정이다."라는 문장은 논리 비약인 것 같다. 불변은 '변하지 않다'일 뿐 여기에는 시간 개념이 들어있지 않기 때문이다. 영원함과는 다르다.

세계관이 어떠하다는 것은 전해오는 책을 통해 정리된 것이다. 그냥 뚝 떨어져 알게 된 것이 아니다. 도올이 동양에는 서양처럼 존재론이 없었다고 하는 것도 중국인이 고전의 연구를 통해 나온 것이다. 문제는 그러한 주장이 왕필 주처럼 틀렸을 뿐이다. 뒤에 나오지만 대만 대학교수의 잘못된 노자 풀이나 淸初 왕선산의 역학 해석은 모두 이러한 경우다.

당연하지만 노자의 근본적 핵심은 텍스트에서 나오는 것이지, 세계관의 先 이해에서 해결될 문제가 아니다. 까닭에 노자경을 옆에 두고 계속해서 읽고 외우고 생각하고 문맥을 잇다 보면 모순점이 해결되면서 답이 나오고 세계관이 정립되는 것이다. 물론 춘추시대의 초간노자, 진의 백서갑 그리고 漢代 초의 백서을이나 통용본을 이해한다면 왜곡의 흐름까지도 알 수 있을 것이지만, 글은 글로 읽으면 충분하다. 그 출발점은 바른 번역이다. 도올의 책은 노자를 읽는 출발점인 텍스트와 번역부터 잘못되었다.

1연 : 道可道 非常道 名可名 非常名

　　　道可道也 非常道也 名可名也 非常名也 [백서본] 39)

6. 사랑을 사랑이라고 말한다는 것, 사랑을 사랑이라는 개념 속으로 집어 넣는다는 것, 그렇게 해서 개념화된 사랑은 참사랑이 아니다. 여태까지 진행되어온 이 논의를 노자는 『도덕경』의 첫 중에 이렇게 표현했다.

도가도, 비상도. 道可道, 非常道.

도를 도라고 말하면 그 말하여진 도는 상도常道가 아니다.40) (p21)

도가도道可道, 도를 도라고 말한다! 이문장에서 목적이 도道이고, 그 목적을 받고 있는 동사도 도道이다. 그런데 한자에 "도道"라는 말 속에는 "말한다"라는 뜻이…있다.(p23)

"도가도道可道"에서 뒤의 "도道"는 "말하다", "도라고 말하다", "도라고 언어적으로 규정하다"라고하는 동사로서의 뜻이 있다고 했다.(p32)

(저자)〉 처음으로 노자의 문장이 나왔다. 문맥으로 보자면 뒤에 나오는 명가명비상명도 함께 해석해 주는 것이 독자가 노자를 이해하기에 좋은데, 노자를 현학으로 보는 쪽은 명가명비상명이 도가도비상도의

---

39) 문단(줄)을 나눈 것은 저자가 설명의 편의를 위해 구분한 것이다. 이하 같다.

40) 책에 굵은 글씨체로 나와 있다. 한편 줄 바꾸기나 칸 띄우기는 따르지 않았다. 이하 같다.

부연설명인 것을 모르기 때문에 '도가도비상도'만 때어서 설명하는 경향이 있다. 그래도 '상도'로 모든 것을 연결하는 도올만큼은 아닐 것이다. 도올은 직설적으로 말하자면, 常道의 常에 노자 전체를 올인하고 있다는 표현이 바를 것이다. 却說하고,

그는 인용문처럼 번역하기 위해, 앞서 '난 너를 사랑해'라는 문장을 가지고 많은 이야기를 한 것이다. 그 결론이 '사랑을 사랑이라고 말한 것은 참사랑이 아니다.'이다. 즉 죽고 미치도록 사랑하는 사람이 있어서 모든 마음을 담아 '사랑해'라고 했는데, 그것은 참사랑이 아니다는 것이다. 이게 老子가 했다는 것이고 그 뜻을 나타내는 문장이 '도가도비상도'라는 것이다.

대부분의 노자 주석서가 첫 문장을 도올처럼 역해하는데, 이는 중국의 왕필이 注를 잘못 달면서 비롯된 것이다. 문제는 그 注가 틀렸는데도 중국 주류학계가 왕필의 注를 지고지순한 노자 주석서로 삼으면서, 전 세계의 학자들도 따라 의심없이 설명한다는 것이다. 당연히 도올의 날갯짓도 그 범주 안에 있다. 이것은 현존하는 노자 주석서의 전반적인 문제다.

문법적 측면에서, 도올은 2번째 道를 동사로서의 뜻이 있다고 했다. 그의 주장대로면 처음의 道를 목적어로 번역했다는 말인데, 한문법에서 도치법이 아닌 한 목적어는 서술어 뒤에 위치해야 한다. 당연히 가

도의 道를 '도라고 말하다' 또는 '도라고 언어적으로 규정하다'로 번역하면 안 된다. 그런 훈은 존재할 수 없다. 이미 중국의 高明이 注에서, 道가 '말하다'로 번역하는 것을 作謂語(만들어 이른 말)로 표현했다. 하물며 道를 '도라고 말하다'로 번역하는 것은 한참 나간 것이다. 즉 3개의 道는 모두 명사다.

이 문장은 저자의 번역처럼 '도는 도를 할 수 있다'(도가도)와 '늘 도가 아니다'(비상도)가 합쳐진 문장이다. 이는 백서본에 '도가도야 비항도야'로 나오는 也로 인해 더욱 확실하다. 이때 앞뒤의 두 문장은 반대의 의미를 나타냄으로 접속부사 '그러나' 또는 어미로 '지만'을 넣으면 끝이다. 그리고 '이 말이 무슨 뜻이지?'하는 것은 문장 속에서 찾으면 된다. 이렇게 간단한 문장이 노자를 玄學으로 주해한 왕필과 심신수련서로 보는 하상공을 추앙하는 중국의 주류학파로 인해, 그 注가 전 세계로 퍼졌고, 그것을 정답으로 오인한 학자들이 무비판적으로 수용하다 보니, 정설처럼 되어버린 것이 오늘날의 도덕경 주해다.

7. 그것은 도道가 도道라는 말로써 개념화된다는 의미일 것이다. 그러니까 "도라고 말할 수 있는 도可道之道"는 언어 속으로 들어온 도, 개념화된 도를 의미하는 것이다.

조건절이 아닌 본절, 비상도非常道의 주어는 가도지도可道之道, 즉 언어 속으로 들어온 도가 된다. …인류역사상 대표적인 노자의 주석가로 알려진 왕필王弼, AD226~249도 명료하게 비상도의 주어로서 가도지도를 내세웠다. 그렇다면 이제 그 문장은 이렇게 될 것이다.

가도지도可道之道는, 즉 도라고 언표된 도는 상도常道가 아니다.

可道之道, 非常道.

이 문장에서 가도지도가 상도가 아니라는 논의는 매우 이해가 쉽다.…그런데 이 구절의 해석에 있어서 최대의 난처難處는 바로 "상도常道"라는 이 한마디에 있다. "상도"에서 "상"은 도道를 수식하는 형용사이다. 문자 그대로 말하면 "상常스러운 도道"라는 뜻이다. (p23)

(저자) 〉 '도가도 비상도'를 왕필이 주석에서 사용한 가도지도와 하상공이 묶음으로 주를 단 상도로 문장을 재창조했다. 즉 '가도지도 비상도'로 읽는다. 전부터 느꼈지만, 도올은 왕필을, 존경을 넘어 숭배하는 것 같다. 일본인이나 중국인들처럼 집에 왕필神主를 모시고 매일 기도를 드리는 것은 아닐까 하는 생각이 들 정도다. 누가 왕필을 인류역사상 대표적인 노자 주석가라 칭했는지는 모르지만, 왕필은 제1장 첫 줄부터 마지막까지 단 한 문장도 바르게 주석한 곳이 없다.

도올은 노자의 道可道를 왕필이 可道之道로 注를 한 것을 그대로 차용한다. 그것이 바른 주인지 아닌지 검토하려는 생각은 없다. 하지만 도가도(도는 도를 해도 좋다)와 가도지도(도를 할 수 있는 도)는 뜻도 절도 다르다. 왕필의 注는 천만번 말해도 틀리다. 하상공은 말할 것도 없다. 이 부분의 주석은 한비가 맞다.

도올은 이야기하기 쉽게 '도가도비상도'를 '가도지도 비상도'로 고쳐

'도라고 언표된 도는 상도가 아니다'로 번역한다. '언표된 도'는 '입 밖으로 나온 도'다. 그리고 그것은 '상도가 아니다'고 부정했음으로, 언표된 도는 부정적인 말이 된다. 이를 설명하기 위해 가져온 것이, '난 너를 사랑해'라는 문장으로, 자신의 마음 또는 시시때때로 변화하는 마음을 모두 표현할 수 없다고 주장한 것이다. 거두절미하고 言表로 자신의 모두를 표현하기는 어렵다. '답답해 미치겠네'라는 말도 그래서 있는 것이다. 그렇다고 해도 현재까지 인류가 소통할 수 있는 최고의 방법은 대화다.

'도가도'와 '비상도'는 대등한 접속사(그러나, 그렇지만, 하지만)로 연결될 수 있는 대등절이다. '비상도'의 주어는 '도'로, 생략되었을 뿐이다. 까닭에 '도가도'는 조건절이 아니다. 또한 '비상도'의 常은 도를 수식하는 형용사가 아니라 빈도를 나타내는 부사로, 앞의 非와 연결되어 부분부정을 나타낸다. 즉 '늘,항상,언제나,영원히,계속'은 '아니다'는 말이다. 까닭에, '상도'로 묶일 문장이 아니다. 하상공이 엉뚱하게 묶어 주석을 달면서 그리된 것이다. 그런데 도올은 한술 더 떠 상도를 '상常스러운 도'라고 번역한다. 정말 웃어야 할지 울어야 할지…. 사람이라 할 수 없는 후안무치한 상스러운 년·놈도 아니고 발음이 된다고 번역 아닌 번역을 하고 있다.

저자는 비상도의 常이 이처럼 후세가들이 씹고 뜯고 할 정도의 현학적 뜻으로 해석할 것을 老子가 알았다면, 혹 常非道(늘 도가 아니다)로 했으면 어땠을까 하는 우순 생각을 해봤다. 물론 전·후 문장이 이어질 수 없는 글이 되겠지만, 최소한 상도를 가지고 어쩌고저쩌고하지는 못했을 것이다.[41] 저자가 오죽했으면 이런 생각을 해봤겠는가?! 그런데 제1장에는 부분부정과 전체부정의 문장이 다 있다. 老子가 하상공, 왕필처럼 주석할 것을 염려해서 만들었는지는 모르지만, 이 장에 모두 있다. 그러함에도 하상공처럼 상도로 묶어 표현하는 것을 보면, 옆으로 보는 것은 병적이어서 치료가 우선이지 진실을 이야기할 단계는 아닌 것 같다.

8. 그런데 이 "상常"은 시간을 초월해 있다든가, 또는 "불변不變"(변하지 않는다)이라든가, "영원永遠"(시간에 종속되지 않는다)의 뜻을 전혀 내포하지 않는다.…"항상"은 불변이나 단순한 변화를 뜻(p23)하지 않는다. 항상이란 변화의 항상스러운 모습을 나타내는 말이다.
변화의 규칙성이나 지속성, 혹은 변화하는 물체의 아이덴티티의 지속을 나타내는 말이다. (p24)

(저자)〉 도올은 앞서 "불변, 즉 영원을 사랑한다"거나, "불변이란 변화가 전혀 없다는 뜻인데, 그것은 시간의 부정이다."라고 표현했었다. 둘을 동일 개념으로 본 것인데, 이곳에서는 뜻을 나누어 표현하고 있다.

'항상'은 부사며 사전적 의미는 '언제나 변함없이'이다. 또 '언제나'

---

41) 하지만 비상도를 전체부정으로 읽어서 '늘(참) 도가 아니다'로 번역하는 경우도 있다.

의 사전적 의미는 '모든 시간 범위에 걸쳐서, 때에 따라 달라짐이 없이'이다. 더 나아가 한비의 注로 보는 常은 천지의 始終을 뛰어넘는 즉 시간 그 이상의 의미다. 그래서 도올의 해설을 일반적인 '항상'의 의미로 수용하기는 어렵다.

도올은 常에 '변화'를 들고 와 '변화의 규칙성이나 지속성, 혹은 변화하는 물체의 아이덴티티의 지속을 나타내는 말'로 정의하는데, 그의 주장은 근거에 기반하지도 않고 번역 오류에서 시작된 것이다. 즉 노자 제1장의 핵심어라고 주장하는 常을 해석함에 있어 주장의 근거도 없고 번역도 틀렸다. 그는 이후 이 논리로 노자를 해석하고 있다.

도올이 '항상'을 '변화의 항상스러운 모습'으로 정의하여 정체성으로 표현한 것은 有形의 萬物에게 적용할 수 있지만 이름할 수 없는 道에 적용할 수 있는 말은 아니다. 즉 그가 말하는 '항상'의 개념은 시공간 속에 존재하는 우주나 인간계에서는 그럴 수 있지만, 시공을 초월하여 영원불멸한 동서양의 道나 하나님에게는 해당하지 않는 이야기다. 神까지 들고 와 변화의 항상성을 주장하는 것은 노자와 상관없는 도올의 주장일 뿐이다. 결론적으로 도올은 常으로 엄청 깊고 많은 이야기를 전개하지만, 常은 노자 전체를 이해하는 데 영향을 주는 한자가 아니고 단순 부사일 뿐이다.

9. (10년 전·후의 도올의 목소리는 변했지만, 유니크한 음색이 유지되고

있다는 예시 글 후) 불변은 없다. 그러나 변화의 항상성은 있는 것이다.

그런데 16세기부터…서방언어로 번역되기 시작하면서 이 상도는 "영원불변한 도"로서 번역되는 불운을 맞이하였고 오늘날의 중국철학적 세계관에 대한 깊은 이해가 없는 일본학자들, 그리고 선진고경의 세계관에 대한 전반적 이해가 없는 중·한의 얄팍한 학자들은 아무런 반성 없이 "영원불변의 도"를 계속 정론인 것처럼 뇌까리고 있다.…라우(1921~2010 런던대학·홍콩 중문대학 교수)는 매우 소박하고 원의에 충실한 번역을 내어놓았다.

The Way that can be told Is not the constant way.

여기 "constant"라는 것은 "unchanging"이라는 뜻이 아니다. 변화의 항상성constancy of change을 의미하는 말이다. 『도덕경』의 번역자로서 매우 높(p24)은 평가를 받고있는 영국의 사이놀로지스트 아더 웨일리…는 이렇게 첫 줄을 번역했다.

The Way that can be told is not an Unvarying Way.

웨일리는 "상도"를 "Unvarying Way"라고 대문자를 써서 번역했지만 이것 역시 "불변"을 의미하는 것은 아니고, "변덕을 부리지 않는 항상스러운 도"라는 뜻이다. (p25)

(저자)〉 저자는 도올의 글을 읽으면서 잠시나마 소피스트학자들이 이런 부류가 아니었을까? 하고 생각했다. 지식이 차고 넘쳐 경계선의 문 앞에 있는 자.

도가도비상도의 상도는 한 묶음의 문장이 아니며 '영원불변한 도'도 아니다. 빈도부사의 구문론을 이해하지 못해 서방 언어로 번역되면서 잘못 번역한 것이다. 당연히 常은 항상성·지속성을 나타내는'늘, 항상, 영원히'라는 부사를 뜻할 뿐 변화의 항상성을 말하지 않는다. 단지, 문장 속 위치에 따라 품사만 다를 뿐이다.

도올은 라우와 웨일리의 영문을 해석하면서, '변덕을 부리지 않는 항상스러운 도' 또는 '변화의 항상성'을 의미한다고 보는데, 영문이 그런 의미인지는 모르겠으나, 문장이 '말할 수 있는 도는…아니다'로 번역할 수 있어, 현학적이며 내용을 이해하지 못한 경우다. 도올의 주장대로라면, 중국·일본 그리고 우리나라 철학자들이 읽지 못한 상도를, 두 외국인은 도올처럼 변화의 항상성으로 읽었다는 것인데, 영문이 그런 뜻을 나타내는지는 의문이다. 별도의 해설이 없다면 이는 도올의 주관적인 해석으로 보인다. 또한, 도올은 先秦古經의 세계관에 대해 전반적인 이해를 하는 것처럼 썼는데, 초간노자를 뭉개고 통용본으로 노자를 해석한 것은 오히려 도올이 선진고경의 老子나 孔子의 마음을 모른다고 할 것이다. 남 이야기할 때가 아니다.

도올이 자신의 목소리 변화와 유니크한 음색의 유지로 변화의 항상성을 설명하는 것은 제1장 도가도비상도의 常道와는 대상 자체가 다르다. 이 문장의 常은 어머니인 道가 가차한 이름이어서 '영원히'는 아니라는 말인 까닭에 常을 쓸 수 있지만, 도올이 자신의 음색을 예로 든 常은 고작해야 한 생의 이야기로 常이라 할 수 없다. 그것으로 불변이 있니·없니 설명하는 것은 노자를 이해하지 못한 것이다. 즉 사람으로 비유하는 설명은 모두 틀리다.

10. 만약 "도가도비상도"가 "말하여지는 도는 영원불변한 도가 아니다"라는 의미로서 해석되어야 한다면, 『도덕경』전체가 나타내고 있는 세계관은 플라톤이나 기독교가 말하고 있는 세계관과 동일한, 아니 그 아류에도 못 미치는 초라한 것이 되어버린다.…언어화된(언표된, 개념화된) 도가 영원불변의 도가 아니라고 말한다면 노자적 세계관이 추구하는 이상은 "영원불변의 도"가 되어버리고 만다. 지고의 가치기준이 시간 너머의 "영원불변의 도"에 있게 되는 것이다 (p25)

저자〉 '도가도비상도'를 '말하여지는 도는 영원불변한 도가 아니다'로 번역이든 해석이든 한다면 무조건 틀리다. 따라서 이를 전제로 한 해설도 노자일 수 없다.

玄學의 입장인 왕필의 주석은, '언표된 도는 도가 아니다'는 식으로 풀이할 수밖에 없고, 노자를 심신수련서로 생각한 하상공은 주석에서 '상도'를 묶어 이야기함으로써, 노자의 첫 구절은 본뜻에서 멀어져 버렸다. 그렇게 노자는 거의 2천여 년 동안 엉뚱하게 이해되어왔다. 이제는 바로잡아야 한다. 왕필이 보지 못한 초간본·백서본도 있다. 없었을 때는 증명이 어려웠지만, 이제는 어떤 주장도 논박할 수 있다. 왕필이나 하상공의 注 그리고 그것들을 따라 현학으로 풀이하는 노자注는 모두 틀리다.

인용을 생략한 곳에는 도올이 대만대학 철학과 대학원에서 方東美

교수의 『도덕경』 강의(1973년)를 들은 내용이 쓰여 있다.

「"상도"의 "상"을 "changeless"의 불변성으로 이해하는 모든 사상가들을 싸잡아 폄하하면서, 중국인의 세계관, 주역적 우주관 속에는 "changeless"라곤 없다! "changeless-less"만 있을 뿐이다라고 막 역정을 내던 모습이 지금도 생생하게 되살아난다.」(p25)

도올이 이 교수로 인해 깨우침을 받아 常을 '변화의 항상스러운 모습을 나타내는 말, 변화의 규칙성이나 지속성, 혹은 변화하는 물체의 아이덴티티의 지속을 나타내는 말'로 해석한 것 같다. 하지만, 제1연 非常道의 상은 "changeless"가 아니라 "changelessly"이다. 즉 형용사가 아니라 부사다. 방동미 교수의 "changeless-less"도 당연히 아니다.

방동미 교수의 常 해석은 틀리다. 즉 노자 제1장 첫 구절을 바르게 이해하지 못한 것이다. 그리고 지금도 중국은 초간본의 고문자 하나 반듯하게 해석하지 못하면서 계속 이런 주장을 펼치고 있다. 아마도 이런 사관들이 모여서 동양에는 존재와 인식론이 없다는 허무맹랑한 주장이 넘치는 것 같다. 하지만 노자의 道는 영원한 존재자다. 초간노자 제11편, 백서갑본 제1장 그리고 한비의 주만 읽어도 알 수 있다. 道는 시공간의 저편이든 이편이든 넘나들든 영원불멸하다.

플라톤의 이데아나 하나님이 단절된 2元을 말한다면 노자의 道와 다르다. 노자의 道는 '만물지모'요, 끊임없이 세상과 교통하는 존재자이기 때문이다. 다만 道 자체는 곧 이데아고 하나님이다. 이것이 왜 아류도 안되는 천박한 철학이라는 것인지 모르겠다. 도올은 어머니의 오른쪽 인자를 많이 갖고 태어났고, 저자는 어머니의 왼쪽 인자를 많이 갖고 태어나 名이 다를 뿐, 어머니의 유전자를 지닌 자식으로는 '같다'는, 그래서 군주나 백성이 다 같은 道의 자식이라는 철학이 왜 아류인가! 백 년 이 백 년 천수를 누리다가 어머니가 부르면 돌아가 심판을 받든, 하나가 되어 영원히 있든, 다시 윤회하든 그것이 왜 부정되어야 하는가? 도올은 노자를 다시 읽어야 한다.

11. 우리말에서 있는 것은 그냥 있는 것이다. 그것은 존재론적 성찰의 대상이 아니다.(p26)…사실 서양의 존재론은 존재하지 않는 것을 억지로 존재하게 만들려고 하는 데서 생겨난 말장난에 불과하다. …즉 나의 감관에 드러난 모든 존재자들이 가짜이고, 진짜가 아니라는 뜻이다. …결국 그 실재는 시간을 넘어서는 것, 영원불변의 존재, 시공의 변화에 무관하게 자기동일성을 지니는 실체라는 궁극성에 도달하게 되는 것이다.…그러나 사실 그들이 "실재"(실제로 있다)라고 부른 것은 관념적 허구이다. 변화하는 세계 즉 감관에 나타난 대로의 있는 세계야말로 실재라고 믿은 사유도 얼마든지 정당성을 지닐 수 있다. …노자의 세계관은 바로 이러한 정당성 위에서 성립한 디스꾸르이다.…서구인들의 인식론적 오류는 궁극적으로 그들의 신학적 관심에서 유래되는 것이다. (p27)

(저자)〉 26쪽의 생략부분은 동양의 *存在*라는 단어의 어원 및 개념을

서양철학에서 가져오면서 늦게 만들어진 단어로 설명한다. 언어의 특징 중 하나가 사회성이어서 접촉에 의한 단어의 生滅은 당연한 말이다. 다만 동양에서 존재의 단어가 늦게 나왔다고 해서 철학적인 '존재'의 뜻도 20세기에 생겼다고 말할 수는 없다. 노자의 여러 곳이 존재의 단어만 없을 뿐, 존재자의 설명이기 때문이다.

반복하지만 동양에서 존재론이나 인식론이 없다는 관점은 제1장의 역해 오류에서 발생한 것이다. 이것이 널리 퍼지지 못한 것은, 천하가 王의 소유물이었던 왕정체제에서 노자도 왜곡되었기 때문이다. 즉 道를 군주에게 논리적으로 설명하거나, 백성의 소리가 곧 어머니의 마음이라는 것을 권력층에게 설파하기는 어려웠을 것이다.

초간본 老子나 백서갑본 老子도 형이상인 道가 있다는 것을 간단명료하게 묘사할 뿐이다.[42] 老子 입장에서는 당연한 것이지만 그들에게는 증명이 불가능한 것이기 때문이다.

존재론은 神 즉 영원한 본질이 있냐 없냐를 논하는 이론이다. 즉 인간의식의 밖에 實在하는 궁극적인 무엇의 존재를 탐구한다. 반대 혹은 대립적 개념 중에는 지금 여기의 개별성·주체성을 주장하는 실존주의가 있다. 노자는 이 모두를 포함하고 있는 정치철학의 디스꾸르이

---

42) 유대 민족 전체가 종교적으로 창조주 유일신을 신봉했음에도 로마정 하에서 정치적으로 인정받기까지는 수많은 희생과 세월이 걸렸음을 감안한다면, 계시든 깨달음(?)이든 老子의 道가 成文으로 체계를 갖추고 종교적으로 자리하기에는 여러 난관이 있었을 것이라고 판단된다.

다. 즉 노자는 형이상(道)과 형이하(만물)를 모두 언급한다.

신의 존재를 믿지 않는 자들은, 도올의 글처럼, 신의 존재를 허구로 생각한다. 그런데 그것이 무슨 문제인가?

도올은 이번에 노자의 철학을, 실재라고 부르는 것을 관념적 허구로 규정하고 '변화하는 세계 즉 감관에 나타난 대로의 있는 세계야말로 실재라고 믿은 사유'로 읽어, 형이상을 부정하고 형이하의 일원론으로 본다. 즉 만물의 어머니인 道마저도 형이하로 놓는다. 하지만 만물의 어머니인 도를 형이상으로 놓고, 형이하의 천지·만물인 名과 다르게 보지 않는다면 틀리다. 老子의 철학은 감관에 드러난 모든 존재 즉 만물은 감관에 드러나지 않은 존재자 즉 道의 자식이라는 것이지 가짜라는 말이 아니다.

신의 존재를 믿든 안 믿든, 신이 있든 없든 영원불멸의 존재자가 있음으로 해서 사회가 안정되고 유지된다면 어떤 식으로든 존재자를 합리화할 것이다. 즉 인간의 유한성으로 인해 무한의 신을 인간이 믿게 함으로써 사회나 나라가 안정되고 통제된다면 통치자는 당연히 신의 권위를 다스림에 써먹을 것이요, 반대로 그것이 生死與奪權 즉 무한의 권력을 가진 군주의 힘을 제어하는 수단으로 작용한다면 신하나 백성은 당연히 이것으로 폭정을 방지하는 방편으로 써먹을 것이다. 이것이 무슨 문제인가? 老子가 道를 만물지모라고 선언한 것도 다 이러한 논리적 배경을 갖는 것이다. 신이 있다없다를 어떻게 증명하는가!

老子는 계곡물이 江海와 함께하는 것이다로 설명하지만 흡족하지 못하다. 공자는 그랬다, 삶도 모르는데 神 이야기를 어찌하냐고.

12. 파르메니데스BC515~475는 존재의 세계에서 생성의 세계를 철저히 배제시켰다. 존재는 불변이며, 영원하며, 불멸이며, 불가분이라고 말했다.··· 플라톤의 이데아론으로 발전하게 된다.···이데아론은 사도 바울의 부활론적 케리그마와 결합하여 하늘나라와···이 코스모스를 이원론적으로 분리시키는 서구문명 가치관의 홍류洪流를 형성시켰다.

하이데거가 존재망실의 역사라고 비판한 서방인의 사유세계는 존재자로부터 존재가 사라졌다는 뜻을 내포한다.···다른 말로···존재하는 것들로부터 "시간"이 사라졌다는 뜻을 내포···한다.···존재는 존재자의 의미이며, 존재자들이 가진 고유하고 성스러운 성격을 가리키는 말인데, 존재 그 자체 또한 오직 시간 속에서 고찰될 때만이 그 "있음"의 본래적 의미가 바르게 드러난다는 뜻이다. 존재로부터 시간을 공제해버리게 되면,···플라톤이 말한 세계, 즉 이성적 관념으로만 파악되는 계량화된 법칙적 세계가 되어버리고 만다. 존재자는 도구이성의 수단적 대상이 되어버리고 마는 것이다. (p28)

노자가 비판하고 있는 대상을 요즈음 말로 번역해서 말한다면 "존재망실"의 서구존재론의 역사를 야기시킨 이데아론의 허구성이다.···그가 긍정하는 것은 변화하는 도의 실상(항상 그러한 도)이다. 그가 부정하는 것은 언어개념 속에 밀폐된 관념적 불변의 도이다. 노자는 변화를 긍정하고 불변의 허구성을 부정한다.(p30) 노자는 가도지도의 고정성·관념성·연역성·제약성을 버리고, 끊임없이 변화하는 상도常道에로 회귀하려 한다. 상도는 영원히 변화하는 것이기 때문에 "공간화된 시간성"의 성격을 거부한다. ···인간의 행위는 끊임없는 과정 속에 놓이게 된다. 가도지도의 거부는 결국 인간의 언어에 대한 불신을 내포한다. 그리고 언어를 구사하는 이성의 능력도 그다지 신뢰하지 않는다.(p31)

(저자) > 도올이 노자가 쓴 非常道의 常을 '시공간 속의 常' 즉 '변화 속의 정체성'으로 정의한 것을 서양철학(종교)사와 비교하면서 주장하는 문장이다.

'플라톤의 이데아론은 성경과 결합하면서 천상과 지상의 二元論적으로 분리되어, 서구문명 가치관의 홍류를 형성했다. 이를 하이데거는 존재망실의 역사라고 비판했다. 노자 또한 이데아론의 허구성을 비판한다. 즉 시간 밖의 존재자는 없다.' 정도로 이해된다.

서양의 이데아론이 존재망실을 가져와, 존재자(인간)는 도구이성의 수단적 존재자가 되어, 인간보다 신을 찾는 봉건시대가 있었던 것인지 논하기는 어렵다. 저자가 생각하는 역사는 인간의 역사고, 철학이나 종교는 인간이 만든 역사의 도구 즉 삶과 통치의 수단이자 방법으로 본다. 물론 변증법적으로 봤을 때, 인간이 만든 철학이나 종교가 체계적으로 구조화되면서 인간을 수단적 대상자로 만들었을 수는 있다. 지나온 역사의 흔적들 특히 마녀사냥으로 희생된 무수한 여성들이 그것을 증명한다. 하지만 모든 것을 거슬러 올라가면 이 또한 인간으로 귀착된다. 즉 결국 인간 작품이다.

유한한 인간이기에 무한한 신이 태어났고, 일단 태어난 신은 피지배자에게는 위안을 그리고 지배자에게는 수단을 제공했다. 이것이 세월과 함께 고착화되면서 신과 대화할 수 있다는 자는 백성이나 시민과 다른 특별한 자가 되어 종국에는 칼을 휘두르게 된 것이다. 까닭에 무한한 대상을 상정하는 것은 지배자나 피지배자의 자연스러운 귀결이다. 그것이 서구의 이원론이든 노자의 이원론적 일원론이든 문제는 아니라고 생각한다. 인간의 문제일 뿐이다. 즉 존재자를 도구이성의 수단적 대상으로 만들어버리는 것이 시간을 制하는 서양의 플라톤 철학에서 유추된 것이라고 해도, 제도화하고 설파한 것은 같은 인간이며 지금·여기에 종교의 역기능으로 자리매김할 뿐이다.

초간노자의 道는 공간성의 표현이 있다. 하지만 개작된 노자나 각종 해석서에서는 영원성만 언급된다. 한비의 注도 천지가 나올 때 與(더불다·주다)해서 함께 살다가 천지가 사라져도 없어지지 않는 존재의 무한성만을 언급하고 있을 뿐이다. 초원도 高明도 비슷하다. 어떤 이유로 공간성의 글이 사라져버린 것이다.

그런데 도올은 그동안 일상으로 써 온 '상도'를 '인용 문장처럼' 새롭게 해석한다. 이번에 도올은 '상도에서' 이것을 돈오한 것이다. 그리고 돈오한 것이 엉키기 전에 한석봉 붓글씨 휘갈기듯 '노자가 옳았다'라는 책으로 세상에 내놓았다. 그러나 도는 변화의 항상성을 갖는 것이 아니다. 번역의 오류로 바르게 읽지 못했을 뿐, 道는 天地의 始終

을 넘는 하나님과 같은 영생자다.

통용본은 초간노자의 정치(통치)론을 대대적인 손질을 거쳐, 현학으로 바꾸면서, 인간을 넘어 만물을 대상으로 하는 글로 확장하려 했다. 이 과정에서 대상의 모호성이 커졌다. 즉 통용본은 대상이 명확하게 읽히지 않는 장이 많다. 노자를 현학으로 이해하는 학자들은 대부분 이것을 읽지 못해 혼동하거나 분석하지 못했다. 도올 역시 그렇다. 하지만 초간노자를 보면, 통치서로서 대상이 명확히 특정되고 그에 따른 요구사항도 다르다. 즉 군주, 신하 그리고 백성에 대한 글이 명확하다. 내용을 오늘날로 치환하여 이해하면 될 뿐 모호한 내용이 아니다.[43] 노자는 '말보다는 행동'을 요구한다. 이는 老子나 공자 모두의 공통된 마음이다. 그래서 언어의 불신은 합당하다. 다만 이야기 대상이 지도자일 뿐이며 이 장의 글도 아니다. 하지만 이성의 능력을 신뢰하지 않음은 섣부르다. 노자의 내용은 후왕에게 극한의 이성을 요구한다.

13. "있다"는 것은 "시간과 더불어, 시간 속에 있다"는 것을 뜻하며, 그것은 "변화하고 있음"을 의미한다.····시간은 "늘 그러함의 길"인 것이다. 이것을 노자는 "상도常道"라 표현했다. 상도라는 것은 "늘 그러한 길"이며, 도의 시간 존재론적 모습이다.

"영원불변의 도"라는 것은 존재하지 않는다. 그것은 참된 존재론의 대상이 될 수 없다. 모든 존재는 변화 속에서 존재한다. 하나님도 존재하기 위

---

43) 오직 초간노자에만 있는 다양한 표점 중심으로 내용을 분석하면, 대상을 구분하여 서술하고 있음을 알 수 있다. 물론 지금까지는 저자만 이렇게 해석한다.

해서는 변화 속에서 존재해야 한다. 우리가 불변이라고 부르는 것은 모두 변화의 다양한 양태에 불과한 것이다. … 노자는 이미 인간의 언어나 관념이 실재의 모습을 나타낼 수 없다고 판단한 것이다. 이상의 논의를 다시 한 번 정리해보자!

道可道, 非常道. 도가도, 비상도

도를 도라는 언어개념 속에 집어넣어 버리면, 그 개념화된 도는 항상 그렇게 변화하고 있는 도의 실상을 나타내지 못한다. (p29)

(저자)〉 '상도'를 정의한 글이다. 도올이 '도가도비상도'를 의역한 저 말을 하고자 그 많은 말들을 했지만, 번역 자체가 틀린 까닭에 사실 논할 가치도 없다. 문장의 한 단어를 가지고 노는 것에 완전히 feel이 꽂혔다.

그동안의 설명은 여기 상도의 개념 정의를 위한 것이다. 그 정의가 '늘 그러한 길'이며 '도의 시간 존재론적 모습'이다. 이렇게 해석되는 문장이 '도가도비상도'며 의역한 문장이다.

常을 '변화의 항상스런 모습'이라고 주장하여, 상도를 '도의 시간 존재론적 모습'으로 탈바꿈한 것은 생뚱맞다. 대만 교수가 뭐라 했든, '상도'의 常을 두고 가지가지 주장이 난무한다고 해도 지킬 선이 있는 것인데, 常을 '변화와 시공 속'에 대입하여 드디어 老子를 보았노라고 주장하는 것은 어처구니없다. 저자는 정말 황당함을 느꼈다. 말해주고 싶다, '도는 도를 해도 좋지만 늘 도는 아니다'가 바르고, 常의 개념은

'한비나 월암의 常에 대한 주를 잘 번역해 읽어보라'고.

도올의 번역은, 결국 '언표된 道는 변화의 항상성, 규칙성 및 지속성의 길(道)이 아니니, 언표하지 마세요'가 될 것이다. '말의 무게가 크니 신중하세요'는 老子의 뜻이기도 하다. 다만 대상도 틀리고 여기서 하는 말도 아니다. 도올이 노자가 아닌 불교 철학이나 혹은 자신의 주역 및 철학으로 '변화의 영원성'을 주장했다면, 정말로 많은 사람이 감탄했을 것이다. 그랬으면 도올에게는 천만 배 더 좋았을 것인데….

도는 영원히 名을 잃었(道恒亡名)기 때문에, 인간 역시 道 아닌 名을 규정하는 것은 불가능하다. 사람이 깨우침으로 본 이관기묘의 眇도 道가 보여준 象일 뿐이요, 도를 묘사한 통용본의 몇 개 章도 道의 참모습일 수 없다. 도는 영원하다. 노자의 형이상 즉 道에 관한 문장이나 한비의 注는 도의 영원성을 말하고 있다. 도의 영원성을 부정하는 도올의 주장 글은 번역의 오류가 낳은 불상사일 뿐이다. 만약 저자가 萬物之母인 道나 천지창조의 하나님은 시공간을 넘나든다고 주장하면 어떻게 '아니다'고 증명할 것인가?

14. 지금이야말로 우리가 노자를 정밀하게 이해해야 할 시기이다. 도를 도라고 말하는 것, 그것이 곧 진리의 척도가 될 수 없다는 노자의 외침에 우리의 양심을 열어제껴야 할 시기이다. 도를 도라고 말할 수 없는 무변광대한 침묵의 깊이로 우리는 침잠해야 한다. 이제 우리는 "있다"는 것만으로도 경이로움을 느낄 줄 아는 시인의 마음으로, 언어를 뛰어넘어 노자라는

시인의 언어를 이해해야 한다.(p31)

（저자）〉 '지금이야말로 우리가 노자를 정밀하게 이해해야 할 시기이다'는 저자의 염원이기도 하다. 정말 두 손 모아 한뜻으로 염원한다. 노자의 원본 초간노자가 2천 5백여 년의 시차를 두고 무덤에서 나왔기 때문에, 이제는 정말로 왜곡을 끝낼 때다. 엉뚱한 해석으로 노자를 알고자 하는 이를 혼란에 빠뜨리지 말고, 대학자라면 마음을 열어제끼고 어떤 식으로든 노자를 정리하자. 저자를 아웃사이더로 치부하는 것은 받아들이지만 해석을 물타기 하는 것은 용서할 수 없다. 열린 대화는 언제나 환영이니 이해하기 어렵다면 연통하시고 해석이 틀렸다면 짓밟고 가시라. 부디 양시론입네 양비론입네 하면서 구렁이 담 넘어가듯 하지는 마시라. 독자는 그럴 때마다 혼란스럽다. 정리는커녕 '둘 다 맞네, 둘 다 틀리네' 하면 어떻게 노자를 읽겠는가?! 老子가 꿈꾸는 세상을 연상하면 엔돌핀이 솟는다. 그곳은 살맛 나는 세상이기 때문이다.

대화를 어떻게 할까? 도올의 글은 곧 모두가 텔레파시를 사용하는 미래형 인간을 요구한다. 누가 아름다운 꽃을 보고 언표된 대화를 할 수 있겠는가?! 앞에 있어 혼잣말도 행복하고, '있다'는 것만으로도 경이로울 뿐이다. 수석가가 돌을 보는 것도 이와 같을 것이다. 오직 '있'어 다듬고 기름칠하며 넋두리도 행복할 것이다. 그렇다고, 그것을 우리 삶의 일상에 적용할 수는 없다. 老子는 그런 말을 한 적이 없다.

사회적 동물인 인간에게 어떻게 대화를 하지 말라고 했겠는가! 잘못된 번역과 주석으로 노자를 왜곡하지 말라. 道는 도를 할 수 있고 해도 좋지만 항상 도는 아닐 뿐이다. 그래서 도는 도라고 말해야 한다. 그리고 道의 마음을 이야기해 주어야 한다. 그래야 정신적 질환이 창궐하는 이 시대에 그나마 마음의 끈을 잡을 수 있다.

어떤 인문학 강의를 들어봐도, 도올처럼 말을 많이 하는 강사는 찾기 어려울 것이다. 동서양의 철학과 학문이 박식함으로 차다 못해 넘쳐, 거의 속사포처럼 입에서 주저리주저리 쏟아진다. 그런 그가 언표를 부정하는 논리를 편다는 것은 정말 넌센스요 아이러니다.

노자는 형이상인 도(합리론)와 형이하인 성인의 삶(경험론)을 바탕으로 쓴 정치철학서다. 제1장과 더불어 노자가 道와 名을 규정한 초간본 제9,10편(통용본 32장)을 읽어보면, 정치철학에서 노자가 가지는 2가지 관점은 어느 정도 감이 잡힐 것이다. 정말 곱씹어 생각해보라. 인간은 누구나 名이다. 名은 시공간 속에서 위치를 점하며 始終이 있다. 까닭에 상대적이지만 그래서 고유하다.

15. "명가명비상명名可名非常名"은 마치 두 마리의 말이 한 마차를 끌듯이 앞 문장과 대對를 이루며 달리고 있다.(p31)⋯그러나 사실 평생을 『도덕경』과 함께 살아온 나도 이 구절을 반추해보면 볼수록 해석이 어려운 구석이 있다. ⋯"명가명비상명"은 자연히 "이름을 이름지우면 늘 그러한 이름이 아니다"라고 해석될 것이다.⋯마찬가지로⋯뒤의 명은 앞의 명이 명

사임에 반하여, 동사로 쓰이고 있다,…즉 "이름지우다" "…라고 이름하다" 는 뜻이 된다.

그런데 "이름을 이름지우다"라는 것은…명료한 뜻을 전달하지 않는다. 이미 이름이 지워져 있는데, 그 이름을 이름한다는 것은, 도무지 동어반복의 무의미한 토톨로지처럼 들린다.…"명가명비상명"의 핵심적 단어는 두 번째의 동사로서의 명名이다. 가명의 명이다. 그것은 "이름한다" "이름짓는다"라는 우리의 언어적 행위를 가리킨다. 그러나 가명의 대상이 되는 첫 번째의 명은 "이름"이라기보다는 이름이 지시하는 어떤 사물 그 자체를 가리키는 것으로 해석할 수밖에 없다.

"도올을 도올이라 이름한다"고 할 때 앞의 도올은 이름화된 도올이 아니라 실존재자real entity로서의 도올을 지칭하는 것과도 같다. 살아(p32) 숨쉬고 있는 존재자 도올을 도올이라고 이름하면, 시시각각 변하고 있는 존재자 도올은 도올이라는 이름이 규정하고 있는 바, 암암리 사회적으로 약속된 이름의 함의 속에 갇혀버리게 된다. 그 이름화된 도올은 항상 그러한 도올이 아니다. "명가명비상명"은 이런 정도의 의미가 될 것이다. (p33)

(저자)〉 '명가명비상명'에 대한 설명이다. 분량은 반쪽을 약간 넘긴다. '도가도비상도'의 부연설명이라는 것만 알면 사실 몇 줄로도 충분하지만, 도올처럼 현학자들은 '반추해보면 볼수록 해석이 어려운' 문장인 까닭에 반쪽도 벅차다. 앞 문장의 常道처럼 常名도 버금가게 뜻을 담아내야 하는데, 그 뜻이 아니니, 사람의 이름으로 '상명(영원한 이름)'을 담기는 애초에 불가능하다.

도올은 자신의 이름자로 문장을 해설한다. 그런데 번역부터 현학의 '도가도비상도'를 따라 해 오류다. 내용도 독립된 문장으로 이해하여 道가 곧 가차한 名임을 전혀 눈치채지 못한다. 말하지만 현학 쪽 학자들은 '명가명비상명'을 설명할 수 없다. 사람의 이름자로는 도저히 논리적인 설명을 할 수 없기 때문이다.

예시로든 도올의 문장은 스스로 모순을 드러낸다. 즉 '명가명비상명'의 이름(名)에 도올의 해석을 넣어보면, '名(실존재자 도올=살아 숨쉬고 있는 존재자 도올) 可名(도올이라고 이름한다는 언어적 행위)은 非(아니다) 常名(항상 그러한 도올)'이 되어, 첫 번째 도올(명)과 세 번째 도올(상명)은, 글은 다른 듯 쓰였지만, 같은 도올이다. '실존재자 도올'은 곧 '항상(변화의 항상스런 모습) 그러한 도올'이기 때문이다. 이는 명=상명 꼴이어서 1차 모순이다. 그런데 도올은 다시, 실존재자 도올(명)을 이름하면(가명) 그 이름화된 도올(명)은 항상 그러한 도올(상명)이 아니다고 한다. 즉 갓난아이에게 이름을 붙이면 이름 붙여진 갓난아이는 항상 그러한 갓난아이가 아니다는 것이다. 같은 아이가 이름을 붙이는 순간 다른 아이가 되는 마법이 일어난 것이다. 첫 문장 '사랑해'가 연상되는데, 이것이 2차 모순이다. 물론 자신의 논리에 반하는 가장 큰 모순은, 이 문장을 '이름'으로 설명하지 못한다는 것이다.

이런 궤변이 생기는 것은, 형이상인 道가 아닌 형이하인 사람의 名

을 가지고는 常名(영원한 이름)을 만들 수 없기 때문이다. 도는 道理처럼 상도(영원한 도)와 구분되는 말이 있지만, 이름(名)에는 名과 다른 '상명'은 없다. 그런데, 도올은 미처 몰랐을 것이나, 어쩔 수 없이 그렇게 해석할 수밖에 없었던, 실존재자 도올이나 항상 그러한 도올이 老子가 말하는 名이다. 名과 한 몸이다. 呼名이 아니다. 현학 쪽은 이것을 이해하지 못한다.

한문이든 한글이든, 문장이란 앞뒤가 어떤 식으로든 논리적으로 이어져야 글이다. 그런데 도올의 '명가명비상명' 해설은 앞 문장과 무슨 연관이 있는지 알 수가 없다. 고명의 해설도 마찬가지다. 한문 문장은 문장을 잇는 접속사나 부사에 해당하는 한자를 잘 사용하지 않는 것 같다. 오늘날도 그렇다. 高明의 문장만 봐도 알 수 있다. 저자가 번역 문장 사이에 넣은 ( )는 이런 이유로 첨언한 것이다. 어찌 됐든 왕필과 하상공은 이 문장의 의미를 몰랐고, 그의 주석을 따르는 중국측 주류학계도 깊은 注를 못 내니, 도올도 이 문장은 어쩔 수 없었을 것이다. 결국, 처음 첫 단어부터 중국의 왕필을 따르는 현학적인 풀이로는, 노자 여기저기서 문맥이 끊어질 수밖에 없고, 따라서 부연설명에 지나지 않는 '명가명비상명'도 어렵다고 하는 것이다.

정리하자. '명가명비상명'은 앞 문장 '도가도비상도'의 부연설명이다. 따라서 인간의 이름(名)으로 설명하면 틀리다. 즉 道는 늘 亡名하여 인간이 名을 알 수 없는 까닭에, 老子보다 앞선 聖人이 사용한 道를

老子 역시 가장 합당하다고 판단하여 假借하여 사용하겠다는 것을 對句의 문장으로 언급한 假名이다. 즉 여기는 道가 名이다. 그래서 앞뒤 두 문장은 하나로 만들 수 있었다.

16. 형이상자形而上者, 위지도謂之道 ; 형이하자形而下者, 위지기謂之器

BC 1세기 안드로니코스…가 아리스토텔레스의 저작집을 정리하다가,… 문헌이 실재의 근원적 성격을 다루고 있는 매우 고답적인 성격의 내용이었는데 그 제목이 부재(하여) …경험적 대상을 초월한 초감성적 초자연 세계를 다루고 있으므로… 일본 학자들이 『주역』「계사」의 메시지를 원용하여 "형이상학形而上學"이라고 번역했다. 그래서 마치 "형이상자形而上者"가 형形을 초월하는 초감각적 세계를 지칭하는 것처럼, 엉뚱하게도 서양철학 역어의 함의에 따라 왜곡되는 무지한 현상이 벌어졌다.(p33)

「계사」의 메시지는 건괘와 곤괘가 상징하는 하늘과 땅, 그 사이에서 벌어지고 있는 변화의 세계, 즉 역易의 만상萬像을 이야기하고 있다. "건괘와 곤괘가 훼멸되면 역易의 우주도 사라진다. 변화의 역易이 드러나지 않으면 건괘와 곤괘도 사라지고 만다. 乾坤毁, 則无以見易. 易不可見, 則乾坤或幾乎息矣."이런 말을 하는 중에 "그러하므로是故, 형이상자를 일컬어 도道라 하고, 형이하자를 일컬어 기器라 한다"라는 말이 이어지고 있는 것이다. 여기 중요한 것은 형이상자나 형이하자나 모두 변화의 역易, 즉 시간 속의 현상이라는 것이다. "형이상자形而上者"라는 것은 형체가 있는 현상(우리 감관에 드러난 모습)을 초월하는 것이 아니라 "형이 있고 나서 그 위의 것"이라는 뜻으로서 형이하자形而下者와 분리되는 것이 아니다.… 양자는 모두 구체적 형形(시공간)의 세계 속에 포섭되는 것이다. 그러니까 서구적 의미

에서의 형이상학이나 존재론은 동방적 사유 속에서는 그 근저根底를 찾을 길이 없다.(p34)

(저자)〉 도올이 계사에 나오는 형이상학과 형이하학의 어원을 설명하면서 우리 동방적 사유 속에서는 서구적 의미의 형이상 즉 形을 초월하는 초감각적 세계(이데아와 같은 이원적 세계)는 존재하지 않는다고 주장하는 글이다. 다만 바로 이어서 중국인의 글을 소개한 것을 읽어보니 처음부터 도올의 관점은 아닌 듯하다.

易 계사에 쓰인 形은 名을 말하는 것이 아니다. 형은, 비유가 적당할지 모르지만, 비이커 속의 물과 기름의 경계를 이루는 무엇과 같은 것이다. 즉 복중의 태아나 물리학에서의 플라즈마처럼 이도 저도 아닌 경계 物을 '틀, 모양 形'으로 표현한 것이다. 즉 계사를 쓴 이는 '영원함'과 '유한함'을 구분하기 위한 경계의 표시로 形을 상정하여, 유한한 건곤의 형이하만 易이 가능하다는 뜻으로 이 문장을 쓴 것이다. 대만의 방동미 교수가 주역적 우주관에는 영원함이 없다는 것은 역이 변화하는 건곤의 세계만을 논하기 때문이다. 즉 도올이 언급한 건곤의 우주는 노자의 글로 보자면, 道인 형이상을 제한 형이하의 존재물일 뿐이다. 까닭에 건곤의 훼멸이 우주의 소멸을 의미할지는 몰라도 道가 사라진 것은 아니다.

자전에서 形은 '开(幵)형인 틀·테의 뜻과 彡삼인 무늬의 뜻'이 합쳐진 글자다. 알기 쉽게 말해서 '어떤 것을 나타내는 틀·무늬 모양'이지만 내용이 없다. 이것은 노자의 名이나 역의 器처럼 고유한 完全體를 뜻함이 아니라 '가능태'를 나타낸다. 다시 말해 내용을 말하는 것이 아니라 꼴(모양)만을 묘사하는 글자다. 그릇을 만들기 위한 틀(形)이 곧 그릇(名)은 아니지 않은가!

따라서 形而上者란 '틀에서 위란 놈' 또는 '틀을 기준으로 위인 놈'이라고 할 수 있다. 이는 '형이 있고 나서'를 의미하는 것이 아니라 이도 저도 아닌, 즉 중간자인 形을 초월하는 위(형이상)나 아래(형이하)라는 말이다. 그러므로 형이상을 위지도라고 표현한 것은 서구적 의미의 초감각적 세계를 나타낸 것이 옳다. 道가 시공간을 초월하든 시공간 속이든 천지와 같이하다가 천지가 滅하여도 사라지지 않는다면, 그것은 영원함이다. 까닭에 동양적 사유가 시공간 속의 道로 본다고 해도, 서양에서의 사유인 불멸의 하늘나라와 근본이 다른 것은 아니다. 인간이 멸망해도 天地가 있다면, 천지보다 먼저 살고 있었던 道는 당연히 있을 것인데, 그것이 영원한 것이 아니고 무엇인가?

다만 노자는 정치서이기 때문에 이런 형이상적 논점은 노자의 중심 사항이 아니다. 존재와 인식은 제1장만으로도 충분하다. 중요한 논점은 어떻게 살며 다스려야 할 것이냐는 도덕적 당위론이다. 그래서 초간노자에는 현학으로 끝나는 편·장이 하나도 없다. 이것을 시시콜콜 따지는 것은 노자를 현학으로 모는 학자들이다. 그러나 문제는 그 현학적 설명마저도 틀렸다는 것이다. 즉 '서구적 의미에서의 형이상학이나 존재론은 동방적 사유 속에서는 그 근저根底를 찾을 길이 없다'는 도올의 주장은, 노자는 그렇다 치고 그 오랜 세월 동안 한비 注 하나 제대로 읽지 못한 知者들의 번역 오류에서 발생한 것이다.

[쉼터] 초간노자 제11편 (통용본 25장) : 원문 및 석문·번역44)

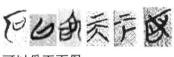

又{뉘首}蟲城　先天{陀土}(地)生　斂{和糸}45)蜀立不{八豕}(遂)

可以爲天下母

(통용본 제25장) 有物混成 先天地生 寂兮廖兮 獨立而 不改 周行而不殆 可以爲天 下母　吾不知其名 字之曰 道. 强爲之名曰大…人法地 地法天 天法道 道法自然

未智其名　{幺幺才}之曰道　{虍壬}{侃力}爲之名

曰大 대 … 人法地 지法天 천法道 도法自然■

---

44) 노자가 우주론인지 존재론인지의 문제는 철학 사상사적인 측면으로 중요하다.
45) 古字 {和糸}의 和는 和의 古字와 다르나, 정확한 석문이 어려워 가장 근접한 和로 한 것이다.

제1장 비평　　　　　　　　　　　　　　　181

초간본에 쓰인 형이상(道)에 관한 老子의 글이다. 개작본의 老子는 초간 전체에서도 특히 이편을 읽고서 형이상의 道를 이해하고 백서본 제1장을 창조한 것이고, 개작본 제1·25장을 읽은 한비는 注를 그렇게 단 것이다.

원문 첫 줄 '가이위천하모'까지가 형이상인 道를 표현한 것이다. 그 중 첫 8자는 각각 공간과 시간을 표현하고 있는데, 단 8자에 전하지 않은 고문자이다 보니 번역이 쉽지 않다. 앞 4자의 번역은 ②③①④ (1)와 ②③④①(2)이 모두 가능해 보이나, ④가 城(나라)인 까닭에 (1)로 해 부사구로 번역하는 것이 가장 합리적으로 보인다. 이편이 명확히 풀리면 老子가 二元의 세계로 본 것이 더 드러날 것인데, 없는 고문자 등으로 해서 뜻을 확정하기는 조심스럽다. 다만 가능한 번역으로도 老子가 道를 하나님과 같은 다른 차원의 존재자로 봤음이 충분히 드러난다. 그러나 초간노자 후의 동양은 초감각적 세계를 시공간 밖으로 사용한 경우는 드물고, 보통은 우리와 같은 공간 속 또는 차원의 개념을 생각하지 않는, 존재의 영원성으로만 초감각적 세계(이데아)를 표현한다. 즉 공간개념을 빼버린 것이다. 통용본의 첫 4자가 그런 경우다.

번역은 첫 4자를 ②③①④(1)로 했다.[46]

---

46) 기존 책에서는 '정자처럼 발 없이 장대 높이 머리 든 벌레들이 미동도 없는 성처럼 틀어쥐었으니, 하늘과 땅의 삶보다 앞선다.'로 번역했었다. 정정한다. 통용본과 한자가 많이 다름을 알 수 있다.

(발 없는 정자의 모습처럼) 긴 장대 위 머리만 있는 벌레들을 움켜 쥔 城(천상의 세계)에서 天地보다 먼저 살았(고 또 산)다.

(그것은) 忘我의 상태를 쳐서 어우러진 인연의 실을 뽑아내며, 애벌 레처럼 홀로 서서, 따르거나 좇지 않으니, 하늘 아래 어미가 됨으로써 할 수 있다. 아직은 안다 하는 이도 그것의 규정(名)을 모르니, 가는 실 이어지듯 겨우 있는 것이 말하자면 道라. 폭군이 강제한 힘으로 이 른 이름(名)인 것이 가로되 '크다'다. 크다는……사람은 땅을 본받아야 하고, 땅은 하늘을 본받아야 하고, 하늘은 도를 본받아야 한다. (다만) 도는 저절로 그러함을 본받는다.

17. 명말청초의…왕 후우즈는…다음과 같이 명료한 입장을 제시하고 있 다. "형이상자라고 하는 것은 형이 없다는 것을 말하는 것이 아니다. 이미 형形이라는 전제를 달았으므로 형이 있고 나서야 비로소 형이상이 있게 되 는 것이다. 무형의 초월적 상上이라고 하는 것은…도무지 있어본 적이 없는 것이다. …그릇(구체적인 사물)이 있고 나서야 형形이 있는 것이요, 형形이 있고 나서야 상上이 있는 것이다. …형이 없으면 위上(형이상자의 세계)가 있을 수 없다는 것은 너무도 명백하여 알기쉬운 이치임…"(p34)

"…위니 아래니 하는 것은 본래 정해진 경계가 없는 것이다.…그러므로 형이상과 형이하가 본래 다른 영역을 가지고 있는 것이 아니다. 그러니까 도道와 기器는 본래 그 체體를 달리하는 것이 아니라(두 개의 실체로 나뉘 는 것이 아니다)는 것은 애초에 명백한 것이다. 하늘 아래 있는 것이라고는 기器(시공간 속의 물체, 물체적 사건)밖에 없다.…도에 어둡기 때문에 그 그릇(물체)이 이루어지지 않을 수 있다. 그러나 그릇이 이루어지지 않았다고 해서 그릇이 없는 것은 아니다(기器의 세계는 항상 엄존하는 것이다)"(p35)

(저자) 〉 도올이 번역 소개한 왕선산의 형이상자와 형이하자에 대한 해석 글이다. 아마도 이가 도올에게 영향을 준 것 같다.

앞에서 저자는 形의 어원을 따져보고, 설령 같은 시공간의 표현이라고 해도, 건곤의 훼멸에도 존재하여 인간과는 다른 영원함으로 볼 수 있다고 썼다. 이는 하나님과 같은 초월적 존재자로 봄이 타당하다.

왕선산의 주해를 보면, 왕선산도 形을 전제로 둔다. 하지만 저자가 해석하는 상 이전의 '틀'의 개념이 아니라 물체를 의미하는 象(像,相)으로 이해한다. 즉 계사의 이 문장은 두 갈래로 나누는 기준점을 제시한 말(前提)을 形으로 표현한 것인데, 이를 器인 본체로 잘못 이해한 것이다. 전제를 이렇게 이해하면 답은 하나밖에 없다. 이미 물질을 전제한 위나 아래는, 물질의 양면을 변증법적으로 논하는 설명 외에는 달리 표현할 방법이 없기 때문이다. 즉 이미 초감각적인 세계를 전제에서부터 부정해버린 것이다. 그러나 틀(形)이 곧바로 名이나 器나 象이 아니다. 어떤 물체의 모양과 무늬가 있다고 해서, 그것이 모두 이루어지거나 그것은 아니다. 결론적으로 저자가 보는 왕선산의 형이상자 형이하자의 주해는 전제를 잘못 이해하여 옆길로 샌 경우다.

18. 이러한 17세기의 사상가 왕선산의 논의는 『노자』 제1장의 해석에

있어서 우리가 여태까지 서술해왔던 핵심적 주제를 매우 명료하게 재삼 천명해주고 있다.…선산은 실체적 사고, 즉 현상의 배후에 불변의 본체가 있다든가, 항상 그러한 기器의 세계를 지배하는 초월적 도道가 있다든가 하는 식의 사유를 철저히 거부하고 있는 것이다.…주석가들이 『노자』의 도道와 명名의 관계를 이야기할 때, 그것을 道와 器의 관계로 유추하여 이야기하기 때문이다. …또 두 텍스트의 사유의 계보는 각기 다른 전승을 지니고 있다…지만, 도와 명의 관계를 도와 기의 관계에 견주어 말하는 것이 크게 잘못된 일은 아닐 것 같다. 단지 형이상자와 형이하자가 모두 形으로 통섭되는 것이라는 비실체적 생성론적 사유, 다시 말해서 형이하학의 일원론적 사유를 전제로 해서 풀이되기만 한다면 크게 문제될 것이 없다.(p36)

(저자)〉 선산은 주역 계사 上의 형이상자와 형이하자를 주해한 것이기에 器속으로 道가 들어가든 말든, 하나의 體로 보든 나누든 상관은 없다. 노자를 해석한 것은 아니기 때문이다. 즉 선산이 현상의 배후에 불변의 본체가 있다든가, 항상 그러한 器의 세계를 지배하는 초월적 道가 있다든가 하는 식의 사유를 철저히 거부한 것이 계사의 문장 풀이라면 乾坤의 형이하인 器의 세계를 언급한 것이어서 받아들일 수 있다. 하지만 노자의 道를 그렇게 이해한다면 틀린 것이다.

즉 도올이 계사의 문장 풀이를 노자의 제1장 해석으로 가져와, 노자의 철학적 기반을 '형이상자와 형이하자가 모두 形으로 통섭되는, 다시 말해서 형이하학의 일원론적 사유'로 보는 것은 오류다. 노자를 이

제1장 비평

해한다면, 노자에 나오는 道를 종합한다면, 이것은 꿈도 꿀 수 없는 관점이기 때문이다. 만물의 어머니인 道는 당연히 초월적 존재자이다.

[略·인트로] 이후 노자를 주해한 조선시대의 여러 학자가 評傳처럼 길게 언급된다. 이 중 도올은 '상도'를 묶어 현학으로 해석한 초원의 글을 常으로 연결 지어 새천년의 메시지로 자신의 글에 인용하고 있다. 이 내용에 앞서, 초원에게 영향을 준 월암의 노자 제1장 첫 줄 '도가도비상도 명가명비상명' 해석을, 들어가는 말 정도로 싣고 있는데, 놀랍게도 저자처럼 해석하고 있었다. 문장은 이미 앞에서 소개했고 [19.]의 한문장은 그 속의 한 구절이다.

19. 오늘날 대한민국의 꼴통 반공 예수쟁이학문의 병통의 핵심은 변통變通을 거부한다는 데 있다. 자신의 신념체계의 이데아(名名)의 불변성에 고착됨으로써…변화를 거부하고 그 불변하는 이데아의 우월성을 자랑하는 것이다. 월암의 논변 중에서 가장 핵심적인 것은 이 한마디이다.

이름이 없는 것은 항상 그러하여 사라지지 않고,

이름이 있는 것은 항상 그러할 수가 없으니 곧 사라지고 만다.

無名者, 常不去; 有名者, 不可常.

『도덕경』의 첫 두 구절에서 가장 핵심적인 두 대립개념을 名名과 상常으로써 파악한 것이다. 名名은 고착이요 규정이요 제약이다. 방편으로서만 유용한 것이다. 이 명과 짝을 이루는 지고의 개념은 도道가 아니라 상常이라고 본 것이다. 사실 『도덕경』은 도와 덕을 말하는 경전이 아니요, 상을 말하는 경전인 것이다. 상常은 변통이요 변화요 생성이요 무제약적인 것이다. 상은 관념이나 개념이 아닌 물 그 자체의 창발이다. 여호와를 여호와라

이름하면 여호와는 곧 사라지고 마는 것이다. (p49)

저자〉漢文章을 읽을 수 없는 독자에게 바른 번역을 보여주는 것은 한문을 다루는 학자의 기본자세라고 생각한다. 올린 도올의 번역은 의역이라 해도 받아들이기 어렵다. 품사가 반영되지 못해 無名·有名과 常의 관계가 분명하게 드러나지 않았기 때문이다. 여기 두 번 쓰인 常은, 구문론상 앞은 부사요 뒤는 명사(체언)로 번역해야 한다. 즉 이문장은 「'이름이 없음'이란 놈은 영원히 떠나지 않는다. (반면) '이름이 있음'이란 놈은 영원함이 不可하다」로 번역함이 바르다. 도올의 번역은 위험하다. 사상서라면 더욱 그렇다.

이 문장을 높이 쳐야 할 이유는 '상불거'에 있다.

'상불거'는 '常·必+부정어(不·非)+내용'으로 된 전체부정의 문장이다. 즉 常은 부사다. 이 문장이 내포하는 것은, 월암은 '비상도'의 常이 부사로 쓰여, 부분부정의 뜻임을 정확히 알았다는 것을 의미한다. 저자가 월암을 대단하다 느낀 것은, 노자의 제1장처럼 異論이 있을 수 없도록, 첫 문장의 해석에 常을 사용하여 전체부정과 부분부정의 문장을 같이 쓰고 있다는 것이다. 의도적이라면 대단하지 않은가?! 글이란 이런 것이 위대한 것이다. 스스로 아무리 깨우쳤다고 나팔 불어봐야 드러나는 것이다.

월암의 주석은 정확히 道와 名의 관계를 읽고 있으며, 영원하여 무엇으로도 규정할 수 없는 만물의 어머니에게 道라고 규정할 수밖에 없는 사정을 말하고 있다. 즉 有名은 有限한 것으로 변함없이 노자를 관통하는 말이다. 이런 이유로 道 또한 指事造形할 수 있는 名과 같은 유한한 것이 되는 꼴임으로 맞지 않아, 方便 名이 道(길)일 뿐 영원히 道인 것은 아니다(非常道)고 한 것이다.

갑자기 '자신의 신념체계의 이데아(명名)의 불변성'이라고 표현하는데, 노자에서 名이 불변성인 것은 어디에도 없다. 名은 유한한 것이다. 그래서 道는 비상도(늘 도는 아니다)인 것이다. 만약 예수쟁이들이 믿는 신념체계인 이데아가 하나님을 지칭한다면, 이 역시 非常名(늘 名은 아니다)일 뿐이다. 도올은 이 부분을 이해하지 못한다. 그래서 번역도 해석도 엉망인 것이다.

노자의 해석을 떠나, 저자 역시 도올처럼 우리 민족의 혼을 망친 이는 神의 전령자로 포장한 사악한 무리도 한 축이라고 생각한다. 다만, 저자의 생각은 학문이나 종교 그 자체가 아니라 사람이다. 즉 종교의 역기능이 지금 여기에 퍼져, '가면을 한' 사이비 목회자나 도사의 언설이 시류에 편승해 먹혀들고 있을 뿐이다.

애비가 감방에 간 사이에 잉태되어 태어났다는 자나 하늘에 말해 뽑아 줬다는 자나, 저자가 보기로는 정신과 치료를 받아야 할 자들인데, 이들의 감언이설이 통하는 세태가 비정상인 것이다. 또, 있을 수 없는 일이어야 하지만, 목사가 '하나님 까불면 나한테 죽어'라 하고 3·

1절 날 태극기 대신 일장기를 자랑스럽게 내걸어도, JMS교회나 만민 교회의 사건 등등이 터져도, 신의 전령자를 자처하는 목회자 집단은 자정능력을 잃고 자신의 역할을 못 하고 있다. 하나님의 존재를 믿는 다면 할 수 없는 짓들이 대한민국에서 버젓이 자행되고 있는 것이다. 조국의 통일보다 영원의 치유보다 일신의 영달에 눈이 먼 ○○들. 그들은 만세를 불렀다는 이유로 왜놈 순사에 끌려 나와 작두에 목이 잘린 흰옷의 선조를 알까? 그런 선조의 덕이 쌓여 해방 조국에서 오장에 기름이 흐르는 부를 누림을 알까?

여기서 常은 특별한 의미를 포함한 것이 아니다. 도올이 거품 물고 지적했던 영원함이며 無限이다. 그것이 不可라고 했음으로 부정한 것이다. 그래서 '有名은 常이 不可하다'는 뜻일 뿐이다. 당연히 이 문장은 有名과 無名을 논한 글이다. 즉 짝은 '무명'과 '유명'이지 名과 常이 아니다. 그리고 제1장의 문장으로만 봤을 때 道와 대구를 이루는 말은 名이지 常이 될 수 없다. 그러나 내용으로는 道가 곧 名인 까닭에 둘은 같은 내용의 문장이다. 이것이 제1장 첫 두 구절의 핵심이다. 다만 노자 전체로 名과 짝을 이루는 개념은 道다. 정리하자면 제1장의 유명 만물지모와 제32장의 시제유명의 두 有名은 대상이 다르다.

여호와 하나님을 부르면 응답이 아니라 사라져버리는가?! 도를 말해버리면 이미 도가 아닌가?! 老子가 이런 말도 안 되는 소리를 왜 했다고 생각할까! 이 모든 것은 제1장 첫 줄 번역의 오류에서 발생한 것이고, 그것은 왕필에서 시작했다. '나는 화살은 날지 않는다'. 참 기발한 말이다. 얼마나 상상 속에서 분해하고 헤맸으면 이런 문장이 나오겠는가?

도덕경은 정치서고 통치서며 군주론이다. 그러나 실상 노자의 머리에는 온통 백성의 안위만이 있다. 그 뜻을 받치고 있는 철학적 담론이 형이상으로써 萬物之母인 道의 존재 방식이요, 형이하로써 앞서 살아간 聖人의 행적이다. 노자의 정치(통치)론은 바로 이 둘의 거대한 기둥으로 기초를 세우고 쓴 것이다. 까닭에 후왕에게 요구하는 道와 같은 삶과 열 개의 직시하는 눈 마음(悳)은 노자의 주요 테제다. 즉 노자는 常을 말하는 경전이 아니라, 정치철학서로서 道와 悳을 말하는 경전이고, 그 術이 위망위 사망사다.

⟊ 椒園 이충익李忠翊, 1744~1816, 『담노談老』제1장 중에서47)

20. 초원 또한 월암의 사상을 발현하여 『노자』의 첫 두 구절에서 "가도지도可道之道"(p49)와 "상도常道" 그리고 "가명지명可名之名"과 "상명常名"이라는 두 대립의 짝을 명료하게 드러낸다.…그러니까 문제의 핵심은 "명名"(이름 짓는다)과 "상常"(항상 그러하다)에 있는 것이다. … 도道는 그 전체를 보편적으로 말한 것이요, 명名은 존재하는 것들을 개별적으로 말한 것이다. 도는 "존재"이고 명은 "존재자"라고 말할 수 있다. 그러나 노자에게 있어서 존재와 존재자는 분리되지 않는다.…초원은 "상常"이야말로 "명名"

---

47) 책에는 없으나 초원의 문장을 별도로 논하기 위해 타이틀을 두었다.

으로 규정될 수 없는 것이라는 생각을 명확히 밝힌다. 상은 명 이전의 것이다.…명名은 방편이기에 고착적 성격이 있고, 상常은 여여이기에 유동적이고 여하한 고착적 규정을 거부한다. (p50)

[인트로] 월암의 글이 끝나고 이 문장부터 도올이 feel 받은 초원의 글이 시작된다. 요즘 학계의 관심 대상인 듯 완역된 책도 나오고 자료도 상당했다. 제1장을 찾아 번역 후 내용을 비교·검토해보니, 초원 역시 노자를 현학으로 해석해 바르지 않았다.

(저자)〉 도올의 해석을 빌리자면, 道와 名은 분리되지 않고 더불어 있는 것이다. 즉 도올이 "도道는 그 전체를 보편적으로 말한 것이요, 명名은 존재하는 것들을 개별적으로 말한 것이다."고 한 부분은, 앞에서 말한 '나무'를 연상하면 된다. 물론 도올의 해석은 오류다. 왜냐면, 영원히 이름을 잃은 道는 형이상이며 가차한 이름인 까닭에 제1장에서의 名은 도를 뜻한다. 그래서 임시 名이다. 그러나 노자 전체적으로는 항망명인 도와 형이하의 명은 차원이 다른 대상이다. 즉 제1장에서 도는 곧 명이지만, 노자 전체에서 도는 형이상이고 명은 형이하인 만물이다. 결국, 어느 것으로 비교하든 노자의 뜻이 아니다. 이어 도올이 들고나온 것이 常이다. 즉 도와 명은 존재(자)로 동일체이고 정작 대립적인 것은 명과 상이다는 것이다. 이것을 초원이 명확히 밝혔다는데, 불교 철학으로 이어 설명하는 글 또한 노자와 무관하다.

21. 道之可道者, 行之緣, 而跡之寄也. 名之可名者, 形之喻, 而物之號也. 若夫常道者, 理絕於行跡之先. 常名者, 趣隱於形物之表. 常道者, 至矣常48)矣, 非言之所及也. 常名者, 名出於自然, 如道之名道, 其假借於行跡者, 固可名之名. 然往來無窮, 聖愚之所共由, 萬古長存, 而不能廢者, 即所謂常道也.

도를 도라고 언어화할 수 있다는 것은 우리 삶의 행위의 인연을 따르는 것이요, 우리 삶의 자취를 기탁하는 데서 생겨나는 일이다. 어떤 물체를 이름지을 수 있다는 것은 그 형태의 비유이요, 그 호칭의 편리함 때문이다. 그러나 상도常道를 가지고 말한다면, 리理가 이미 행위와 자취 그 이전에 단절되는 것이다(따라서 언어로써 접근할 수 없게 된다). 마찬가지로 상명常名이라하는 것도 그 존재의 의미가 형체나 물체의 드러남 그 이전 속에 감추어져 있는 것이다. 상도常道라는 것은 지극한 것이며 존재의 궁극이다. 그것은 언어로써 미칠 바가 아니다. 마찬가지로 상명常名이라 하는 것도 그 이름이 스스로 그러한 데서 나오는 것이니 언어로써 미칠 바가 아니다. 만약 도를 도라고 이름 지을 수 있다면 그것은 행위와 흔적에 가차假借한 방편이니 본시 가명지명可名之名과 하나도 다를 바가 없다. 그러나 왕래무궁하여 끊임없이 변화하고, 성인이나 바보나 다 같이 말미암을 수 있고, 만고에 오래오래 지속되어 폐廢할 수 없는 것이 있으니 그것이 바로 노자가 말하고 있는 상도常道인 것이다.

와아! 얼마나 명쾌한 해석인가! 초원은 첫 주석의 모든 언어를 "상도常道"라는 궁극적 테마를 향해 휘몰아가고 있다. "상도"는 왕래무궁이며 만고장존이다. 즉 "끊임없는 변화 속의 지속"이다. 모든 궁극적 진리는 변화 속

---

48) 책은 尙으로, 검색 자료는 常으로 쓰였다. 문맥상 검토를 통해 常으로 했다. 또 책은 번역 후 원문의 순서다.

에 내재하는 것이라는 만고불변의 예지를 설파하고 있다. 우리의 언어·논리는 모두 행적지연行跡之緣이요 형물지표形物之表일 뿐이다. 그 리취理趣가 절은絕隱되는 자연自然의 세계를 보지 못하고 단지 그 표면적 언어에 고착되어 그 상常의 여여如如를 파악치 못한다면 그것은 인간이 살아가는 도리 그 모든 것을 잃는 것이다.(p51~52)

[인트로] 초원이 도올에게 '상은 名으로 규정될 수 없는, 명 이전의 것이다'는 느낌을 주었다는 문장이다. 글이 어렵다 보니 바르게 번역하지 못했다. 이 문장이 한문을 읽을지 모르는 독자도 번역이 맞은 지 틀린 지 가릴 수 있다고 저자가 서문에서 언급한 것이다. 날리면인지 바이든인지 다시 한번 원문과 두 저자의 번역을 주의 깊게 읽어주었으면 한다. 번역 후 해설이다.

저자〉 道之可道란 놈은 (비유하자면 뭇사람들이 오가다 우연히 만나는) 길 위의 인연이어서, (우연한) 발자취에 맡겨진 것이다 함이라. (즉 '도는 도를 할 수 있다'는 우연히 지어진 것일 뿐 본질이 아니다). 名之可名이란 놈은 모양이나 틀로 비유함이어서, 物體의 號이다. (물체의 본질을 이름한 것이 아닌 물체의 겉을 빗대어 임시로 한 말로 號다.)

만약 참말로, 常道란 놈이 行跡(다닌 표시나 자리·존재의 흔적)의 앞인 것에서 끊어진 理(본질)고, 常名이란 놈은 물체나 사물의 겉면인 것에서 숨었다는 뜻(趣旨)이라면, 常道라는 놈은 지극 그 자체요 영원함이 아닌가! (까닭에 상도란) 말(言)하는 것으로 미치는 곳이 아니다 함이라. (반면) 常名이란 놈은 자연(저절로 그리하여)(에)서 나온 이름이니, 道로 도를 이름(名)한 것과 같다. 그것은 行跡(자취)에서 임시로 빌린(假借) 놈이니, 이름해도 좋은 이름으로 굳은 것이다. (즉 상명이란, 도덕경을 설명하기 위해 임시로 빌린 도처럼, 저절로 그리하여 나온 이름으로, 이름해도 좋은 이름으로 된 것이다. 즉 상도와 달리 상명은 별것이 아니다) 그러하므로(然), 가고 오기(往來)가 끝이 없어, 성인이나 바보라도 다 함께 말미암고, 태초부터 오래도록 존재할 뿐, 폐하기가 불가능한 것은, 곧 영원한 도(常道)를 이르는 바다 함이라.

[해설]

가. 도올과 저자의 번역이 다르다. 현학적 문장은 번역이 까다롭기에 이해는 가지만, 최초가 아니라면, 번역이 매끄럽지 않은 부분은 비교·검토를 해야 했다. 그러나 도올이 놓친 것을 보면 자료들도 변변찮았을 것 같다. 漢文章을 해석하는 데에 있어 제일 중요한 것은 말할 것도 없이 글쓴이 글대로 문장을 읽어내는 것이다. 읽지도 못하면서 해석한다는 것은 한 편의 블랙코미디다. 지금껏 노자가 그렇다.

초원은 非言之所及也(말로는 미칠 곳이 아니다)를 常道의 주석에서 1회만 썼다. 그래서 번역도 1회만 나와야 하는데 도올은 常名을 번역할 때도 사용해 밑줄처럼 총 2회를 쓰고 있다. 혹 중복된 문장일까 봤지만, 문맥이 아니다. 즉 도올은 자의적으로 쓰지 않은 문장을 1회 더 사용한 것이다. 초원이 상명에 쓰지 않은 '비언지소급야'를 넣어서 번역한 까닭에 도올의 常名 역해는 초원의 뜻과 벗어나 버렸다. 번역에서 드문 경우인데 초원이 명가명비상명을 특이하게 注를 해서 발생했다.

한문장을 덮고 도올의 번역만 다시 읽어보라. 문장이 잘못되어 보이는가? 내용을 부드럽게 이어 놓았기에 당연히 잘못된 곳은 없어 보인다. 문제는 독자 대부분은 글쓴이의 번역과 해석만 보기 때문에 이런 문장이 번역 오류인지를 모른다는 것이다. 사실 이것은 나무랄 것이 없다. 독자는 한문장을 읽기 어려워 학자가 역해한 책을 사는 것이기 때문이다. 그래서 사실 번역은 원문장을 최대한 살려주는 것이 독자에게는 바람직하다. 의역과 해석은 다음이다. 그런데 어떤 학자는 번역을 우리말로 읽기 좋게 너무 만들어 버린다. 그러다가 이처럼 원문과 내용이 벌어지는 경우가 종종 발생하는 것이 현실이다. 저자도 도올이 없는 문장을 넣어서까지 번역할 줄은 몰랐다. 혹 제자나 기존 번역[49] 이 그랬다고 해도, 도올 주장의 핵심문장이라 본인이 검토하지 않았다는 것은 불가능에 가깝다. 이러한 오류가 原저자의 철학 사조를 왜곡하는 것이다.

나. 초원은, 名之可名을 이름(名)이 아닌 號로 표현하는 대신, 常名을 물질의 본질을 가리키는 이름으로 규정하여 道로 따지자면 도지가 도에 해당한다고 풀이한다. (물론 초원의 注는 오류다) 즉 도가도비상

---

49) 김학목 교수 및 김윤경의 초원 담노 출간물이 있다. 한문학을 연구하고픈 독자는 비교·검토해보는 것도 좋을 것이다.

도의 常道와 명가명비상명의 常名을 같은 급으로 본 것이 아니다. 이 해석이 상당히 특이한 부분이다. 그래서였는지 도올은 번역처럼 당연히 상명도 상도와 같겠지 하는 생각으로 번역을 하고 있다. 미처 초원의 뜻을 읽지 못한 것이다.

도올은 상명과 상도를 같은 급으로 취급하여 이후 설명을 이어간다. 이는 분명 오류지만 노자의 관점으로는 상관없다. 초원의 노자 주는 어차피 바르게 해석하지 못했기 때문이다. 다만 도올은 잘못된 번역으로 자신의 논리를 펴고 있어 문제인 것이다.

초원은 도지가도의 道와 상도에 나오는 道를 다르게 설명한다. 고명이 주석한 3가지 道와 유사하다. 중국측이 초원의 글을 봤다면 상당히 놀랐을 것 같다. 다만 언급했듯이 초원의 풀이는 책의 뜻이 아니다. 까닭에 초원이 그 틀린 주를 가지고 함축적으로 철학적 의미를 파헤친들 무슨 소용이 있겠는가? 그러함에도 도올은 조선 최초의 현학적 노자 해석이라며 초원을 찬양하며 그의 주석에서 영감을 받아 자신의 글을 펼치고 있다. 그러나 명名(이름 짓는다)과 상常(항상 그러하다)에 핵심이 있다는 주장은 엇나가도 한참 엇나간 것이다.

다. 초원의 인용문장은 노자 첫 줄 도가도비상도 명가명비상명에 해당한다. 그렇지만, 비상도(명)의 非는 사용하지 않고 있다. 이 역시 뜻을 정확히 이해하지 못했기 때문이다. 즉 초원도 월암처럼 道를 가차한 이름으로는 생각했지만, 월암과 달리 常을 형용사로 풀이하여 핵심을 상도에 두었다. 즉 월암은 문장 전체로 가차한 도가 곧 名임을 이해한 반면, 초원은 도지가도만을 가지고 가차한 도로 이해했다. 이후 무명·유명부터 완전히 현학으로 빠져 제1장을 잘못 읽고 있음을 알 수 있다. 즉 두 번째 줄에서, 왕필과 같이, 무와 유로 끊어 읽으면서 이를 이름이 아닌 이름으로 본다.[50] 그리고 이 무와 유에 깊이 빠져서 초원의 현학적 세계관을 선보이는데 이것에 도올이 넘어가 버린 것이다.

라. '상도'에 대한 중대한 해석 오류는 있지만, 초원도 道를, 한비처럼 假借한 이름으로 이해하고 있다. 물론 도올은 인용문처럼 번역해 읽지 못했다.

초원이 '도가도비상도 명가명비상명'을 어떻게 이해했을까를 생각해 봤다. 아마 한글이었다면, 그는 '도는 도를 해도 좋지만 상도는 아니다. 이름은 이름을 해도 좋지만 상명은 아니다' 식으로 번역했을 것이다. 그리고 앞 문장의 道와 뒤 문장의 名은 대상이 다르다고 봤다. 이

---

50) 다음은 도올이 생략한 초원의 노자 둘째 줄 첫 해석 문장과 역해다.
天地未有 名之曰無 萬物既生 名之曰有 : 천지가 아직 있지 아니하니, 이름한 것이 가로되 無요; 만물이 이미 살고 있으니, 이름한 것이 가로되 有다.
[해설] 도라고 이름 부르면서 만물의 어미라고 정의할 수 있다는 것이 두 번째 줄인데, 초원은 無名 有名을 중국 고명의 주에서 읽은 것처럼 우주의 진화과정으로 이해한다. 즉 無와 有로 끊어 읽는 입장을 취한다. 이는 곧 왕필의 주와 같은데, 문장을 無와 有로 끊어서 해석하는 것부터, 이미 오류다.

는 왕필에서 문장을, 하상공에서 常道를 읽었고, 한비나 월암에게는 가차한 道를 읽었다고 보여진다. 도올은 초원이 월암의 해석을 이해했다고 봤으나, '상도'를 묶어서 가차한 道와 분리해 '궁극의 도'로 본 것은 못 미친 것이다.

마. 도올은 초원의 '왕래무궁'과 '만고장존'의 문장을 '끊임없는 변화 속의 지속'을 의미하는 것으로 해석한다. 그리고 이것으로 도올은 常의 철학(시공간 속에서 존재하여 끊임없이 변화하는 常)을 주장하고 있다.

저자가 보기로, 사자성어는 둘 다 '변화'를 포함하고 있지는 않은 것 같다. 먼저 '만고장존'은 '존재의 영원성'을 뜻함이 분명하다. 無限이라고 쓰지 않고 萬古로 쓰여 다르다고 주장할지 모르겠지만, 이 표현은 '영원히'의 다른 표현일 뿐이다. 다음 '왕래무궁'은 '왕래가 무궁하다'는 뜻이다. '무궁'은 '다함이 없다, 끝이 없다'이니, 이것은 '영원함(성)'을 말한다. 문제는 '왕래'를 어떻게 보느냐. '왕래'는 '왕래가 끊기다, 왕래가 빈번하다'처럼 '관계, 소통'을 뜻하는 비유어로 보는 것이 합리적이다. 글자도 '가고 오고'다. 여기에 '변화'의 의미는 없다. '관계(소통)가 다함(끝)이 없다'로 해석한 것을 초원의 문장에 넣어 읽어보면 글이 반듯하다. 즉, '도는 (초원은 상도다) 영원불멸인 만물의 어머니로서 만물과의 관계나 소통이 영원하다'는 뜻이다. 아무리 읽어보고 생각해봐도 이것이 '끊임없는 변화 속의 지속'을 나타내는 문장으로는 보이지 않는다. 여기에 어떻게 '변화'가 들어있다는 것인지 저자는 모르겠다. 오히려 저자는, 초원의 문장을 가지고 '끊임없는 변화 속의 지속'으로 읽는 도올이 더 신기하다.

바. 한비가 해로편에서 道을 설명할 때, 道之可道를 최초로 썼다. 반면, 왕필은 可道之道라고 했다. 이를 볼 때, 초원이 도지가도로 해석하는 것은 한비의 문장도 읽지 않았을까 하는 생각이다. 사실 그래서 道를 가차한 것으로 이해했을 수 있고, 또 잘못 이해하여 '도가도 비상도'에 머물렀을 수 있다.

사. 초원이 道가 곧 假借한 이름임을 알았으면서도 이런 문장 해석을 한 것은, 왜곡본인 통용본의 한계로 혹은 玄學에 심취하여 노자의 본질을 보지 못했기 때문으로 보인다. 권력에서 물러난 까닭에 노자를 현학으로 풀 수밖에 없었던 것인지는 모르겠다.

아. 초원은 常道를 하나로 묶어 道와 다른 것으로 해석한다. 즉 非常道를 '상도가 아니다'로 이해해, 道와 다른 최고의 무엇으로 '상도'를 보고 있다. 저자는 이 부분이 초원을 생각하는 난센스다. 통용본이든 백서본이든 노자 전체를 일관했다면, 상도를 묶어 읽는 것은 여러 문장에서 사실상 어렵기 때문이다. 예로, 초원이 설명하는 常道만이 영원불멸한 道라면, 人法地 地法天 天法道 道法自然(통용본 제25장)의 道는 어떤 도라고 설명할 것인가?! 그것은 道之可道의 道처럼 저

자거리를 오가다 자연스럽게 얻은 道인가?!

　결론적으로, '와아! 얼마나 명쾌한 해석인가!' 도올이 이처럼 감탄사까지 써가며 찬양한 초원의 노자 해석은 노자를 바르게 읽은 것이 아니다. 나아가 그 글마저도, 틀린 번역으로 해설하는 도올의 글은 사실 노자하고는 아무 상관이 없다.

　도올의 '단지 그 표면적 언어에 고착되어…'의 표현은, 마치 나는 새의 사진처럼, 언표를 단적·부정적으로 묘사한 것이다. 인간은 말이든 글이든 뱉어냄으로써 객관성을 갖기 때문에 언표해야 한다. 즉 뱉어내야 인간은 사회적 대화가 가능해진다. 믿느냐 마느냐, 혹은 행간의 의미는 그 이후의 문제일 뿐 내심은 언표되어야 한다. 우리 인간이 텔레파시나 관심법에 通하지 않는 한, 마음은 언표되어야 맞다. 노자는 궤변을 말하는 글이 아니다.

　22. 초원이 첫 문장에서 "가도지도可道之道"와 "상도常道"를 주요테마로 내걸었다는 사실은, 그가 왕필주王弼注를 정확히 읽었으며, 그 이면의 의취, 그 총체적 결구를 정확히 파악했다는 것을 의미한다. 이것은 조선사상사에서 매우 중요한 의미를 지닌다. 재미있게도 율곡이나 서계는 왕필주를 보지 못했다. 따라서 그들의 노자 이해는 중국 노자철학 이해방식의 본류(노학사老學史)에서 벗어나 있었다. 초원이야말로 『노자도덕경』이라는 텍스트 그 자체를 현학玄學의 본류 속에서 이해한 최초의 인물이라 말할 수 있다.(p53)

(저자)〉 도올은 노자를 노자로 읽지 않고 대신 왕필의 주로 읽는다. 그 증거다. 초원이 왕필주를 읽었다는 사실만으로도 도올은 한없이 그가 자랑스럽고 기쁘다. 반면 왕필주를 따르지 않은 이이와 박세당의 주는 젖혀버린다. 도올은 두 선비가 왕필주를 보지 못했다고 단언하는데, 혹 왕필주로는 노자가 풀리지 않았기 때문은 아니었을까?

아무튼, 그의 노자철학관이랄까? 중화주의 사상이랄까? 노자 이해 방식의 본류인 중국의 玄學을 찬미하는 듯한 문장은 왠지 모를 씁쓸함만 더해준다. 학문에 국경이 어디 있겠는가! 그들의 해석이 노자를 바르게 읽었다면 저자는 도올보다 더 찬미했을 것이다. 하지만 왕필의 注를 본류로 삼아온 중국은 老子의 사상을 1도 알아채지 못했다. 거기에 대고 노학사의 핵이요 주류요 본류라고 찬미할 수는 없는 노릇 아닌가!

저자는 사실 중국 학계가 현학 쪽으로 해석하는 것은 어느 정도 이해한다. 그럴 리는 없겠지만, 혹 중국의 경학자 중 제1장을 풀었다고 해도, 정치,경제,사회,문화,체육,과학 등 모든 활동을 오직 정치적으로 해석하는 오늘날 공산당 1당 독재, 더 정확히는 빅브라더 시진핑 1인 독재국가에서는, 오랜 異族의 지배하에 살면서 생성된 한족 특유의 DNA인 생존 제일주의가, 노자를 정치서로 발표하는 것보다 중했을 것이기 때문이다. 이미 모택동의 문화대혁명 시절 홍군에 의해 무참히 죽은 정치인, 지식인, 예술인, 부유층 등이 1천만에서 2천만 명으로 보고 있지 않은가! 또 천안문사태는 어떤가! 그러니 어느 누가 노자의 진실을 안다고 후세에 남기려 하겠는가! 두고두고 후환으로 남을지도 모를 글을.

하지만 우리는 사상과 출판의 자유가 보장된 민주주의국가가 아닌 가!? 어떻게든 감투라도 써보고자 곡필도 하고 하나님도 팔고 목구멍에서 똥물이 나올 정도로 별 아첨을 떠는 자도 부지기수이지만, 그렇지 않다면 얼마든지 자신의 글을 낼 수 있다. 이런 점에서 노자를 현학으로 풀이하는 도올을 이해할 수 없다. 노자 텍스트 자체가 오직 백성을 위한 정치서인데, 백성의 외침이 곧 어머니(道)의 마음인데, 부도덕한 정권 비판을 이것 아닌 어떤 것으로 논리를 세우는지 모르겠다. 도올은 노자를 깊이 있게 읽지도 않았고 헤엄쳐보지도 않았다.

초원이라면 시대상도 있고 백서본·초간본도 보지 못했기 때문에 그렇다 치지만, 도올은 막힘없는 입담에 발굴 문헌 소식을 우리나라에서 가장 빨리 접하는 사람 중의 한 명이 아닌가! 노자를 삶의 기반으로 평생을 살았다는 사람이, 초간본을 주체적으로 분석 한 번 하지도 않은 채 남의 주해서나 가지고 놀면서 노자를 보았노라 하는 것은 이해가 안 간다. 저자 따위도 20여 년이 흐르니 눈에 보이는데, 노자가 삶의 기반이라면서 왜 제1장을 이렇게 번역할까? 왜 도올은 노자가 아닌 왕필의 注를 갖고 놀까?!

자신이 가지고 있는 해박한 불교나 주역, 동서양 철학의 지식으로만 강의하면서, 간간이 노자의 명언들을 섞어가며 자신의 말과 글을 썼다면 정말 최고였을 것이다. 누구도 알지 못하고 증명할 수도 없는 현학을 겸비한 동서양의 철학을 설파한다면, 확신에 찬 그 달변을 모두가 좋아하고 사랑했을 것이다. 하지만 오류투성이의 왕필과 하상공 주를 따르는 중국 주류의 노자학을 따르다 보니 변방의 初老인 저자에게도 지적을 받는 것이다. 중국이라는 나라는 역대로 진실한 적이 거의 없다. 잠시 보이는 듯했지만 모두 정치에 함몰되어 대부분 조작되었다. 老子·孔子의 글도 그렇다. 지금 중국의 학문이 인민이 자유롭다고 생각하는가?!

저자에게 조언을 허락한다면, 딱하나 말해주고 싶다. '왕필 注를 덮어라.'

23. 초원은 성리학 그 자체…아니 학문 그 자체를 거부하기를 주저함이 없다. 노자의 아나키즘이 가슴의 진실, 내면의 눈물로서 초원의 정신세계를 적시고 있다…다.(p53) 초원의 『담노』가 함축하는 내용은…노자가 소기하는 해체주의적 본질에 접근하며, 더 절실하게 존재 그 자체의 의미를 묻고 있다.…초원의 『담노』가 단지 조선인들의 『도덕경』 해석의 오메가 포인트라는 논리적 사실이 중요한 것이 아니라,…조선(p54)사회의 역사적 회명晦明과 득실得失을 거시적으로 조망할 필요가 있다.(p55)

(저자)〉 초원이 권력에서 멀어진 자신의 처지와 연계하여, 노자를 무

정부적인 글로 해석했을 수 있고, 언표를 부정하면서 학문을 부정하고 깨달음으로 가야 한다고 풀이했을 수도 있고, 또 다원론적인 해체주의를 부르짖을 수도 있다. 그런 주장들은 오늘날에도 거론되고 있다. 하지만 그것은 해석에서 오는 주장일 뿐 노자의 글은 아니다.

노자의 글은 통치의 입장에서 聖人의 정치를 염원했지 무정부주의나 언표의 부정과 같은 비현실적인 것을 부르짖는 글이 아니다. 또 고유성에 따른 다양성을 주장하지만 다원론을 말하는 것은 아니다. 다만 '더 절실하게 존재 그 자체의 의미를 묻고 있다'고 한 말은 바르다. 왜냐하면, 노자는 만물 존재의 이유를 직시한 후에 쓰인 정치서이기 때문이다. 그것이 통용본 제2장에 숨어있는 그리고 제32장에 드러낸 固有性이다.

저자는 도올의 책을 통해 초원이나 월암을 알았다. 그 전의 연구자도 많았을 것이나 이제 도올이 언급했으니 영향력만큼이나 강화학파에 대한 열기가 뜨거울 것 같다. 하지만 다른 내용은 몰라도 노자의 해석에 대해서는 참고할 것이 없다. 오류이기 때문이다.

글 말미에 조선의 사회상과 연계하려는 뜻이 보인다. 이후 초원의 글을 동학의 최수운선생의 사상과 잇고 있다.

24. 초원은 왜 그토록 명료하게 "상도常道"의 "상常"을 인식하고 있었을까? 나는 초원을 발견하면서 비로소 최수운崔水雲의 "불연기연不然其然"의

의미,…을 깨달을 수 있었다.(p55)…어떻게…"불연기연"이라는,…너무도 추상적이고 고도의 사유를 집약한 논문을 쓸 수가 있는가?…나는 초원의 『담노』를 접하는 순간 이미 초원의 "상도常道"속에 수운의 "기연其然"이 내재해 있다는 생각을 하지 아니할 수 없었다.(p56) …조선 성리학의 전개는 동아시아사상의 제2기원 속에 포섭되는 것이다. 세계로부터 초원에 이르는 서인계열 사상가들의 몸부림은…이 제2기원을 벗어나 새로운 기원을 수립하려는 노력이었던 것이다. 초원을 조선사상의 종국終局이라고 말하는 것은 바로 제3기원의 출발을 의미하는 것이다. … 즉 늘 그러한 길인 상도常道가 조선유학의 붕괴를 꿰뚫고 불연기연不然其然, 즉 늘 그렇고 그러함의 새로운 길을 개척하는 데는 불과 반세기도 소요되지 않았다.…그것은 새로운 세상의 열림이라는 "개벽開闢"의 희망으로 귀결되었다. 초원의 절망이 수운의 희망으로 전환되는 논리의 구조적 전개가 바로 상도에서 기연으로 가는 길이다. 초원이…성리性理의 가도가명적可道可名的 고착성의 방벽을 뚫고 항상 그러한 상常, 모든 윤리적 실체성이 허물어지는 무無로 가는 길은 제2기원을 오히려 제1기원의 기연其然으로 환원하는 작업이었다. 제2기원에서 제1기원으로 돌아가는 길(p57)이 곧 제3기원의 개벽이었다. 그것은 …칼 야스퍼스가 말한 주축시대가 다시 도래하는 것을 의미했다. 이 "다시 도래"를 수운은 『용담유사』에서 "다시 개벽"이라 노래하였던 것이다. (p58)

⟨저자⟩〉 도올은 예전에 읽었으나 풀지 못한 수운의 불연기연의 의미를, 초원의 노자 첫 문장 常道의 해석에서 깨달았다고 말한다. 즉 초원의 글 상도 속에서 조선의 정치·사상의 종언을 찾고 새날(개벽)의

예언이 내재해 그것을 수운의 개벽으로 연결 짓고 있다. 즉'초원의 절망이 수운의 희망으로 전환되는 논리의 구조적 전개가 상도에서 기연으로 가는 길이다. 초원의 상도 해석은 제3기원의 출발이다. 이 3기원은 노자와 공자의 근본사상으로 돌아가는 제1기원으로의 환원이다. 초원의 노자 제1장 첫 문장의 常道 해석이나, 수운의 개벽사상은 학문의 거대한 물줄기가 바뀌는 전환기인 주축시대의 도래를 예언한 역사의 전환시대다.'고 보는 것이다.

최수운선생의 불연기연(도올은 '그렇지 아니하여 그렇고 그러하다'로 해석함)의 의미나, 도올이 나누고 제창했다는 동아시아사상의 기원, 그리고 조선시대 성리학의 발전과 계보는 도올의 문장으로 알았다. 학자로서 큰 업적일 것이나 이것들이 노자를 이해하는 것과는 상관없다고 본다. 초원이 노자를 현학 입장에서 당시의 시대상과 접목하여 해석했을 수는 있다. 하지만 도올이 올린 초원의 문장은 노자 문구의 해석 말고는 특별할 것이 없다. 즉 도올이 올린 초원의 常 해석에서는 이것을 알 수 없다.

도올이 '항상'을 '변화의 지속성·항상성, 변화하는 물체의 정체성'이라고 주장한 것도 놀라웠지만, 초원이 해석한 노자로 학문의 거대한 물줄기가 바뀌는 전환기를 예언한 글이라는 대목에서는 고개가 갸웃했다. 도올이 쓴 초원의 문장에서 저자는 도저히 그런 의미를 찾을 수 없었기 때문이다.

스스로 저자는 오직 노자에서 다른 사람보다 조금 더 안다고 자부한다. 특출나서가 아니다. 누구의 주해서를 읽지 않고 그냥 인연이 되어 오직 노자의 문구만 생각하기가 오래되었기 때문이다. 그런데도 도올이 해석한 초원의 노자 제1장 첫 구절의 '상도'가 조선 성리학의 종언을 구하는 것이다는 대목은 이해하기 어렵다. 초원의 담노 어디의 무슨 문장이 常道 속에 수운의 기연이 내재해 있다는 것인지 알 수 없다. '상도'가 원래 그런 의미를 지녔든 아니면 초원의 재해석이든지 간에, 이것이 새날 새 시대의 도래를 예언한 글과 어떻게 이어질 수 있다는 말인지 이해하기 어렵다. 다만 어느 쪽으로 해석하든 상관은 없다. 노자의 글과 동떨어진 내용이기 때문이다.

25. 이제 독자들은 내가 왜 이 시점에서 『노자』의 주석을 달고 있는지, 왜 『노자』 제1장의 첫 구절의 의미의 바른 이해가 중요한지, 그리고 그것이 얼마나 이 시점의 우리 실존의 문제와 관련되어 있는지를 대강 깨달았을 것이다.

"도가도비상도. 명가명비상명"의 의미는 매우 단순한 것이다. 우리의 삶이나 문명이 추구하는 모든 진리가 "상도常道"와 "상명常名"을 기준으로 하여 이루어져야 한다는 것이며, 도와 명의 궁극적 실상은 "상常"에 있다는 것이며, 상에 있다는 것은 시공간의 변화 속에 있다는 것이다. 불변의 도, 불변의 명을(p58) 추구하는 삶은 허망한 것이며 위선적인 것이며 시의를 망각하는 것이다. 예를 들면, 하나님을 믿는다고 하는 자들은 하나님은 불변의 절대적인 존재라고 서슴지 않고 말할 것이다. 그러나 노자가 "도가도

비상도"를 말한 뜻은, 하나님도 반드시 시공 속에서 항상 그러한 존재가 되어야 한다는 것이다.…하나님을 바로 이해하는 첩경은 常을 이해하고 사랑하는 것이다. 그러하기 때문에 초원은 상도를 말했고 수운은 기연을 말하며 시공간 속의 인간존재를 하나님으로 파악했던 것이다.(p59)

(저자)〉 '도가도비상도 명가명비상명'에 대한 해설의 마무리다.

도올의 설명으로는 오직 常道나 常名에서 모든 엄청난 내용이 도출될 뿐이다. 그러나 1연의 마무리로 올려놓은 해설은 어디 한 군데 맞는 곳을 찾아보기 어렵다. 그나마 '1연의 의미는 매우 단순한 것이다'가 맞는 말이지만 내용으로는 이마저도 아니다.

과학자 혹은 예언가들이 지구와 인류의 종말을 걱정하고 있듯이, 도올도 걱정하는 마음에서 노자의 문장을 가지고 새날 새 시대를 언급했는지는 모르겠다. 하지만 노자는 말세나 천지개벽 그리고 새 시대를 말하는 예언서가 아니라 정치서다. 나라의 흥망성쇠에 관해 걱정하는 마음은 있지만 그런 의미도 제1장에서는 언급되지 않는다. 말세나 새 천년은 많은 예지자나 성경, 하도와 낙서(우주변화의 원리) 그리고 증산도 등에서 나름의 논리로 언급하고 있다. 이는 유투브만 봐도 금방 알 수 있다. 다만 老子 시대에 선후천의 예언인 낙서·하도와 길흉화복까지도 예지할 수 있는 易經이 있었으니, 시기는 몰라도 지축이 정립하는 선후천의 세상 정도는 이미 알고 있었다고 생각한다. 그래서 老子의 글이 천상의 정치를 얘기하고 智의 욕심을 언급했을 수 있다.

도올은 노자를 정말로 잘 이해했으면 좋겠다. 왕필과 하상공 그리고 현학을 추종하는 중국 주류학계의 해석을 버리고 노자를 바라보면 진 면목이 보일 것이다. 도올이 수운선생의 글을 깨우쳤다면 그것으로 주를 삶고 노자의 좋은 말들을 넣어주는 책을 만드는 것이 좋았다. 엉뚱하게 초원의 해석문장을 가지고 개벽의 글로 연결하여, 노자를 예언서로 만드는 것은 아니다.

常은 '항상, 영원(함,하다)'이며, '영원하다'는 것은 시공간 속이든 밖이든 넘나들든 '상관없이 있다'는 것이다. 이것이 '시공간 속의 변화 속'을 의미한다는 것은, 영원함과는 1도 관련 없는 도올의 주장일 뿐이다.

하나님이나 만물의 어머니인 도는 영원하지만 어떻게 있는지는 알 수 없다. 그래서 자식을 보고서 어머니의 성품을 예측하고, 표출된 자식의 마음으로 어머니의 마음을 헤아리며, 하나님의 형상처럼 빚은 인간을 보고 하나님을 상상할 뿐이다. 당연히 시공간 속의 인간존재는 바로 道나 하나님일 수 없다. 동질일 수는 있어도 동일체는 아니다. 초원이 상도를 말하며 시공간 속의 인간존재를 하나님으로 파악했다면 틀리다. 도올 또한 이것을 바른 해석으로 본다면 노자를 잘못 이해한 것이다.

2연 : 無名 天地之始 有名 萬物之母.

　　　 无名 萬物之始也 有名 萬物之母也.

26. 이 두 문장…중의 명名을 동사로 해석할 수도 있다. "무명無名, 천지지시天地之始"를 "무無, 명천지지시名天地之始"로 끊어 읽을 수도 있다는 것이다. 첫 번째 독법으로는 "무명은 천지의 시초이다"라는 뜻이 되는데, 두 번째 독법으로는 "무無는 천지의 시초天地之始라고 이름한다"가 된다. 궁극적인 뜻을 고구考究해 들어가면 양자에 대차가 없다고 말할 수도 있겠지만, 『노자』라는 텍스트의 전체적 맥락에서 보면 무명과 유명을 주어로 놓는 것이 맞다. (p59)

(저자)〉 제1장 1연이 끝나고 제2연에 해당하는 해석의 시작이다. 도올은 無·有와 名의 사이를 띄우거나 붙이나 '궁극적인 뜻을 고구해 들어가면 양자에 대차가 없다'고 표현했다. 이래저래 차이가 없다는 뜻이다. 물론 일고의 가치도 없는 해석이다. 제2연은 모두 '道라는 이름이 있든 없든 상관없이 천지(만물)의 처음이요 어머니다'는 뜻을 가진, 즉 이름(규정)에 상관없이 존재자(도)는 존재하고 있지만, 뭐라 명명을 해야 '만물의 어머니'라고 정의할 수 있고 이후 논의도 가능하다는 뜻을 표현하는 문장이기 때문이다.

이 문장은 道를 가차한 이름(名)으로 정의한 첫 문장 '도가도비상도 명가명비상명'의 '이유'에 해당한다. 말로 하면, '무엇의 정확한 名을 몰라 道로 假名한 것은, 이름(名)이 있어야 만물의 어미로 정의할 수 있고 설명도 가능하기 때문이야'가 될 것이다. 까닭에 무명·유명은 도올의 설명처럼 주어로 놓을 것이 아니라, '(가명한 도라는) 이름이 없다면, 이름이 있다면'처럼 가정·조건절로 번역해야 한다. 이렇게 번역해야 첫 문장과 의미가 반듯하게 이어진다. 하지만 왕필을 시조로 삼는 현학파는 첫 문장에서 道가 곧 名인지를 모르니, 제2연에서 無有로 끊어, 無나 有가 이름이 되는 촌극을 연출하는 것이다.

즉 문장이 너무 대구로 간략히 쓰여 있다 보니, 왕필과 같은 이는 오히려 無와 有로 나누어 보게 되었고, 無는 곧 無名이요 無名은 곧 道를 말한다고 엉뚱한 해석을 한 것이다. 즉 無·有와 名 사이를 띄우는 주석은 왕필의 것이다. 그는 첫 문장을 玄學으로 들어가는 문으로 만들어 2연도 우주론으로 풀이할 수밖에 없었다. 첫 단추를 잘못 끼운 어쩔 수 없는 결과인 것이다. 중국의 현학자인 고명도 '無는 無名이고 無名은 곧 道다'고 인용했다. 그러나 2연은 철학적 관점으로 보자면 존재론이다.

27. 무명과 유명을 독립된 개념으로 보는 것은 왕필주에서 이미 확고하게 드러날 뿐 아니라, 그 앞의 "도가도비상도, 명가명비상명"의 문구에서 가장 명료한 주제는 "명名"과 "상常"이었기 때문에 그 주제를 받는 문장의 연속성을 생각하면 무명과 유명이 훨씬 더 자연스럽다.(p59)

저자〉 도올이 문장의 연속성을 생각하면서 번역하고 있다니 놀랍다. 저자가 보기로 그는 왕필과 같은 중국측 주석을 앞에 두고 노자를 이해하려 하고 있고, 문장 속 특정 漢字에 feel이 꽂혀 확대 재생산하고 있다. 그가 문장의 연속성을 생각하면서 글을 읽었다면 노자는 쉽게 그에게로 흡수되었을 것이다. 하지만 그가 해석한 글은 첫 문장과 이어질 수 없는 단절된 글이다.

무명과 유명으로 끊어 읽어야 하는 것은, 저자처럼 문맥으로 읽으면, 처음부터 異論이 있을 수 없다. 규정이 불가능한 존재자를 道란 名(이름)으로 假借한 이유를 설명하는 글이기 때문이다. 즉 道라고 有名한 것은 만물지모를 정의하기 위함이다.

[쉼터] 다음은 왕필의 제2연 注 全文이다.

凡有皆始於無, 故未形無名之時 則爲萬物之始, 及其有形有名之時, 則長之育之, 亭之毒之, 爲其母也. 言道以無形無名始成萬物, 以始以成而不知其所以, 元之又元也.

무릇 '있음(有)'은 모두 '무(無)'에서 시작한다. 그러므로, 아직 형形이 아니고 이름이 없는 때(미형무형지시)가 만물의 시작이 되는 법이다. 그것이 형체가 드러나고 이름이 생기는 때(유형유명지시)에 미치(及)면 자라게 해주고 길러주고 또 멈추게 하고 막아서는 법이니, 그의 어미가 된다 함이라. (이는) 도는 형체도 없고 이름도 없음으로써 시작하여 만물을 이룬다는 말이며, (도)로써 시작(始)하고 (도) 때문에 이루었(成)을 뿐이지만 그 까닭을 알지 못한다는 말이니, 으뜸인 것이 또 으뜸이다 함이라.

[해설] 왕필이 문장 속에서 無名과 有名을 쓴 것은 사실이지만, 독립된 개념이기보다는 無·有를 설명하는데 사용한 문장이다. 즉, 만물(有)은 도(無)에서 태어나고 자라고 길러진다는 것을 설명하면서, 만물이 있기 전의 形이 없는 때를 無名과 함께 표현했고, 形이 생겨난 때를 有名과 함께 표현했을 뿐이다. 그런데도 도올은 왕필주에서 무와 유가 아닌 무명과 유명으로 확고하게 드러난다고 표현한다. 한편, 왕필은 無·有를 '때 時'로 나누어 무형무명의 시기 즉 無를 道로 보는데, 이는 一元의 양면 즉 우주론으로 볼 수 있는 빌미를 주었다. 물론 틀린 注다.

  28. 이미 최초의 병려문에서 명名과 상常의 문제가 현상과 초월의 문제가 아니라는 것이 토로되었으므로, 유有와 무無의 문제도 존재와 비존재의 문제가 아니라는 것을 알 수 있다. 동방인들이 말하는 무無는 초월이나 비존재, 혹은 아무것도 없음을 말하는 것이 아니라 무형無形을 말하는 것이다.

  무형은 곧 무명無名을 말하는 것이다. 노자의 현상주의는 모든 개념을 시공간 내의 常으로 통섭하므로 유와 무는 시공간 내와 시공간 밖의 문제일 수가 없고, 상의 유, 상의 무가 될 수밖에 없으므로 그것은 결국 有形과 無形, 有名과 無名의 문제로 환원된다. (p60)

  (저자)〉 왕필의 노자 주를 따르는 도올의 해석은 어디 한 군데 맞다고 할 만한 구석이 없어 사실 노자 해석서로는 논의의 가치가 없다.

그래도 저자가 비교·설명하는 것은 더 이상 왜곡된 설명서가 나오지 않았으면 하는 바람에서다. 유명·무명은 '名이 없다면·있다면'이며, 이름을 둔 것은 만물지모를 정의하기 위함이다.

도올이 말하는 최초의 병려문은 '도가도비상도 명가명비상명'을 말한다. 여기서 도올은 '비상명'의 常을 영원성이 아닌 시간 속에 존재하여 변화하는 정체성으로 풀이했는데, 그에 따라 여기의 有·無도 존재와 비존재의 문제가 아니라고 본다. 그래서 無도 無形을 말하며 무형은 無名을 말한다고 한다. 그러나 常이 그런 뜻이 아니듯 무명·유명도 도올의 설명처럼 거창한 뜻이 아니다. 즉 老子는 무와 유를 존재와 비존재로 보지도 않았고, 무형·유형이 설명될 곳도 아니다.

왕필은 풀이에서, 未形과 無名을 같이 써 之時로 표현한다. 즉 형체가 아직이고 이름도 없는 때다. 그래서 도올처럼 이해해도 할 말이 없다. 하지만 이는 왕필이 노자를 잘못 해석한 것이다. 앞서 한비는 '도가도비상도'의 주에서 분명하게 표현했다. 天地의 始終을 초월하는 것이 常이고 道가 곧 상이라고. 그래서 道는 영원하고 초월적이며 존재자다.

노자를 만물의 측면으로 보자면 有名한 인간의 본질에 관한 이야기다. 그래서 실재적인 측면이 강하지 現象主義로 보기는 어려울 것 같다. 즉 도의 자식인 만물은 태어나면서부터 규정(名)되었다. 그것이 누구에게나 있는 고유한 四柱고 몸이다. 물론 몸은 名과 달리 가역성이 있다. 이러한 논리는 최소한 시제유명(제32장)을 연결 지을 수 있어야 가능하다.

유와 무의 문제는 존재와 비존재의 문제가 아니며, 또 무는 무형도 아니다. 여기서 유와 무는 독립적으로 해석하면 안 된다. 유와 무는 名을 보어로 하여 '이름이 있고·없고'의 뜻이며, 이름은 제1연에서 정의한 가명인 道를 말한다.

29. 이러한 문제를 초원은 매우 명쾌하게 다음과 같이 풀이하고 있다.

無非對有之無, 有非自無爲有, 無乃常無, 而非可名之無, 則其妙不測, 有亦常有, 而非可名之有, 則其徹無際.

노자에게 있어서 무無라고 하는 것은 유有에 상대적인 무가 아니다. 유有 역시 무無로부터 생겨나는 종속적인 유가 아니다. 무는 상무常無일 뿐이며 이름할 수 있는 무가 아니니, 그 묘妙함이 헤아릴 수 없을 뿐이다. 유 또한 상유常有이니, 이름할 수 있는 유가 아니며, 그 가상자리도 가없을 뿐이다. (p60)

저자〉 초원의 노자 제1장 둘째 줄 '무명, 유명'의 해석이다. 앞서 도올이 뺀 한 줄 문장의 다음에 이어진 글이다. 도올이야 알겠지만, 사실 생략된 초원의 글이 있어야 이 문장도 이어진다. 즉 초원이 왜 이런 관점을 가졌는지 알 수 있는 길라잡이가 생략된 문장이다. 저자의 번역이다.

무는 유를 對하는 무인 것이 아니다. (무는 유의 상대적 개념인 무가 아니다) 유는 무로부터 유가 됨이 아니다. 무는 이에 常無(항상 없음)여서, 이름할 수 있는 無가 아니니, 그의 묘는 헤아려지지 않는 법이다, 유 또한 常有(항상 있음)여서, 이름할 수 있는 有가 아니니, 그의 요는 경계나 가장자리가 없는 법이다.

이미 초원은 제1장 첫 문장의 해석을 틀렸다. 이 문장도 그 연장 선에 있다. 특히 제1장 셋째 줄 '상무욕 이관기묘, 상유욕 이관기요'의 문장을 왕필과 같이 '상무, 상유'로 끊어 해석하면서, 두 번째 줄의 무명 유명의 해석에 잇는다. 이는 고명의 주해에서도 보았듯이, 一元(도)의 양면에서 바라보는 개념으로 도식화하는 현학의 전형적인 방식이다.

초원은 앞서 無는 천지가 아직 있기 전의 모습으로, 有는 만물이 이미 生하여 있는 때의 모습으로 각각 정의했다. 그리고 이 문장인데, 무와 유를 대립으로 보지 않고 천지미유와 만물기생의 시기를 나타내는 도의 행위작용으로 보고 있다. 즉 둘을 상대적(대립) 관계로 보지 않고, 무를 다음 문장의 상무(영원한 무)로 잇고, 유 또한 다음 문장의 상유(영원한 유)로 이어, 無와 有는 궁극적으로 이름할 수 있는 것이 아니라고 부정한다. 그리고 이를 불측한 묘와 무제한 요로 문장을 맺는다.

초원은 무명·유명을 無와 有로 하여 왕필처럼 현학으로 이해하면서도, 왕필처럼 아무것도 없는 무에서 유가 낳고, 유가 다시 무로 돌아가는 윤회적인 대립적 개념으로 보고 있지 않은 것 같다. 글이 관념적인 설명이다 보니 이해하기 어렵고 논리성도 미흡한 부분이 있다. 즉, 초원은 有를 常有(항상 있음)다고 정의한다. 그리고 그것은 이름할 수 있는 유(可名之有)가 아니다(非)고 말한다. 이 논리는 문제가 있다. 즉 항상 있든 영원히 있든, '있다'면 이름할 수 있는 것이다. 道마저도 가차는 했지만 이름이지 않는가! 당연히 항상 있다(常有)면 뭔들 이름할 수 없겠는가! 진리는 상식이다.

이는 老子가 가차한 道라는 名과 萬物을 바로 名으로 규정한 차이를 이해하지 못한 것에서 발생한다. 노자를 해석하는 글이 아니라면 초원의 사상으로 이해할 수 있겠지만, 이것이 노자 제1장 두 번째 줄을 해석하는 중에 있음은 오류라고밖에 할 수 없다.

30. 주어를 無名과 有名으로 끊어 읽어야 한다는 나의 주장은 『노자』라는 텍스트 그 자체에서 증명되는 것이다. 32장에서 "道常無名……始制有名"이라 하였고, 37장에서 "吾將鎭之以無名之樸"이라 하였으며, 41장에서 "道隱無名"이라 하였으니, 무명, 유명은 노자 자신의 고유한 개념임을 알 수 있다. (p61)

저자〉 도올은 노자를 이야기하면서 이미 있는 것인데도 마치 자신이 최초의 언표자인 것처럼 뉘앙스를 풍긴다.

여기 무명과 유명의 문장을 그것에서 끊어 읽는 것은 내용으로 그런 것이지, 노자의 다른 곳에 무명·유명이 나오니까 '그럴 것이다'가 아니다. 물론 개연성은 있다. 또 둘은 가정·조건으로 번역해야 해 주어가 될 수 없다. 한편 현학 쪽은 왕필의 注가 무와 유로 끊어서 백서본이 발견되고 중국측이 책을 세상에 내놓기 전까지는 대부분 그것을 따라 유와 무로 끊어 읽었다.

도올이 인용한 '시제유명'은 독자가 노자를 알기 위해서는 꼭 외우고 이해해야 할 문장이다. 여기의 有名은 '유명 만물지모'의 유명과는 대상이나 의미가 다르다. 즉 '유명 만물지모'의 유명은 어머니인 道를 뜻하면서 임시적이지만 '시제유명'의 유명은 母인 道가 낳은 萬物이면서 규정된 것이다. 같은 한문 有名이지만, 하나는 道를 말하고 하나는 도의 자식인 萬物을 뜻한다. 노자에서 이것만 이해해도 웬만큼 노자를 볼 눈을 갖춘 것이다.

[쉼터] 제32장 통용본, 백서본, 초간노자(제9,10편) 문장 보기

도올이 해설을 위해 인용한 노자의 문장 중 제32장은 형이상인 道와 형이하인 名을 이해할 수 있는 중요한 장이다. 특히 제1장 역해의 可否를 판단할 수 있는 실마리가 되는 장으로, 읽어보면 그 중요성을 느낄 수 있다. 초간노자는 道에 관련된 문장과 名에 관련된 문장이 나누어져 2개 편으로 쓰였는데 백서본부터 하나로 묶여 통용본으로 이

어졌다.

통용본(제32장)

道常無名 樸雖小 天下莫能臣也.
侯王若能守之 萬物將自賓.
天地相合以降甘露 民莫之令而自均.
始制有名 名亦旣有 夫亦將知止 知止不殆.
譬道之在天下 猶川谷之於江海.

道는 영원히 이름이 없으니, 통나무(樸)가 비록 작지만 천하가 능히 신하로 하지 못한 (것과 같은 이치)다.

(까닭에) 후왕이 만약 이것(신하가 될 수 없는 樸)을 능히 지켜낸다면, 만물은 장차 스스로 손님으로 길러질 것이다.

하늘과 땅이 서로 맞물려 하나 됨은 甘露를 내림으로써이니, 백성은 명령하지 않아도 스스로 균형(중심)을 지킬 것이다.

처음 마름질된 것은 이름(규정)을 가지니, 이름은 또한 이미 가졌음이다. 대저 또한 장차 그칠 줄을 안다면, 그칠 줄을 알아 위태롭지 않(게 될 것이)다.

도가 천하에 있다는 것을 비유하자면 마치 시냇물과 계곡물이 강과 바다로 가는 것과 같다.

백서본(제76장)

道恒无名 握(樸)雖小 而天下弗敢臣.

侯王若能守之 萬物將自賓.

天地相谷(合)以兪甘洛 民莫之令而自均焉.

始制有名 名亦旣有 夫亦將知止 知止所以不殆.

俾(卑)道之在天下 猶川浴之於江海也.

※ 고명책 인용, ( )는 을본, 번역은 통용본과 유사하다.

초간본(甲 9편,10편)

道恒亡名 僕唯婢 天地弗敢臣

侯王女能獸之 萬勿將自{宀貝}■(9편)

天地相會也 以逾甘{雨各} 民莫之命 天自均安

{ㄐ言}折又名 名亦旣又

夫亦將智{之止} 智{之止}所以不{ㄐ言}

卑道之在天下也 獸少{谷水}之與江海■(10편)

※ 1. 초간노자는 2개 편으로 됨. { }는 없는 한자나 합체문자.
　 2. 통용본과 비교하면, 같은 듯 다르게 고쳤음을 알 수 있다.
　 3. 통용본 제2장(제8편) 다음에 나오는 문장이다.

　道는 영원히 이름(규정성)을 잃었으니, (하찮기로는 인간 세상의) 종이요 오직 점괘를 전하는 여자(시녀)로, 하늘도 땅도 감히 신하(되기)를 떨었다.

　(까닭에) 후왕도 (도가 영원히 이름을 잃듯) 여인처럼 고요히 앉아 능히 사냥하는 것이면, 만백성도 (출세의 욕망을 떨고) 장차 저절로 집안의 재물(처럼 소중한 것)을 하리라. (9)

하늘과 땅이 서로 (뜻 맞아) 모인다 함은, 단비 내리도록 빌기를 넘어감으로써이니, 백성은 命(지시)받는 것이 없고, 하늘은 스스로 고루 편안하다.

{뒤얽힌 말}이 잘리고 꺾이어 이름을 쥐니, 이름은 또한 이미 쥐었음(규정됨)이다. 저(이름)는 또한 장차 안다고 하는 이가 멈춰야 할 것이니, 안다고 하는 이가 멈춰야 하는 것은 (입안에서 웅얼거림처럼 알 수 없는) {꼬인 말}이 아닌 까닭이다.

賤하고 낮은 道가 天下에 있는 것이다 함은, 꾀를 내자면, 얼마 안되는 적은 계곡물이 강과 바다와 (어깨 나란히) 함께하는 것이다. (10)

[해설] 통용·백서본, 초간노자 모두 漢字나 내용이 바뀌었어도 名에 대한 의미는 동일하다. 이는 개념 정의이기 때문에 뜻을 고칠 필요가 없었다. 하지만, 통치서로서 지배층에 관한 문장은 智(지혜로운 자) 자신들을 향하는 위험한 글인 까닭에 고친다. 그것이 지식인의 행태요, 그렇게 탄생한 것이 왜곡본이다. 내용은 통용본의 '시제유명'이 더 쉽게 다가온다. 여기의 名은 天地萬物 그 자체이지, 제1장 첫 줄의 道를 가차한 名이 아니다.

31. 백서의 출현은 『노자』라는 텍스트 그 원래의 모습이 "만물지시, 만물지모"였다……백서의 출현이 우리에게 확신을 심어주는 대체적 의미는

생각했던 것보다는 텍스트 베리에이션의 폭이 크지 않다는 것이다. 현행 중국 고전들의 전승과정의 정밀성을 입증해주었다는 것이다. 따라서 우리는 현행 왕필주본 텍스트를 기준으로 하여 전체적 의미를 파악하는 데 주력하기로 한다.(p63)

⟨저자⟩〉 도올의 이미지가 크게 훼손된 정말 화가 치민 문장이다. 몇 번을 읽어도 이해할 수 없는 글이다. 도올이 현학을 따르고 왕필을 존중하는 것은 좋다. 하지만, 초간본은 싹 빼고 백서본으로 '확신을 심어주는 대체적 의미는'이라는 말까지 써가며 '중국 고전들의 전승과정의 정밀성을 입증해주었다'고 말하는 부분은, 대한민국의 동양학 고수라면 해서는 안 될 말이었다. 이는 노자를 접하는 독자를 잘못된 길로 인도하는 짓이다.

일제의 온갖 만행을 부정하고 묻었던 토기를 다시 파 발표하는 일본의 역사학자나, 학자적 양심을 버리고 老子나 孔子의 글을 왜곡하고, 각종 역사 공정을 떠벌리는 중국의 학자들을 보면서도 그런 말을 하는가!

老子를 숭상한다면서 곽점초묘에서 출토된 노자를 빤히 알면서, 현행 통용본과 章의 數도, 순서도, 자수도, 한자도 너무나 다른 초간에 대한 언급 없이, 백서본으로 '『노자』라는 텍스트 그 원래의 모습'이라 거나, '텍스트 베리에이션의 폭이 크지 않다'고 하는 등, 마치 백서본이 노자의 진본인양 묘사하여 통용본과 차이가 없다고 어떻게 말할 수 있는가? 노자 전체를 소개하는 대신 자신의 논리에 필요한 자료만 선택적으로 말하는 것은…. 아무리 생각해도 부끄러운 짓이다.

　도올이 초간노자를 무시하는 것은, 사실 도올의 주체적인 판단으로 보기 어렵다. 왜냐하면, 중국측이 초간노자를 거의 모두 통용본의 한자로 석문·주석하여 〈郭店楚墓竹簡〉을 출간한 이후, 세상 대부분 학자도 그것에 맞추어 초간노자를 통용본의 일부분으로 해석하고 있기 때문이다. 즉 초간노자가 출토된 이후에 출간된 거의 모든 노자서들은 초간본을 통용본의 일부분으로 본다. 이는 백서본을 최초의 완성본으로 생각하는 김홍경교수의 책, 〈노자:삶의 기술, 늙은이의 노래〉의 서문에서도 읽을 수 있다.

　「나는 곽점 초간을 『노자』라고 부를 수 없다고 본다. 우리가 알고 있는 『노자』는 한 권의 책이기 때문이다. 비록 그 안에서 사상의 불일치가 언뜻언뜻 감지되기는 하지만, 그래도 크게는 일관된 체계를 갖춘 한 권의 책이 『노자』다. 여태껏 노자에 관한 모든 이야기는 사실 바로 이 책을 두고 한 것이다. 인물로서 노자는 그 실존 여부가 지극히 의심스럽기 때문이다. 반면 곽점 초간은 세 권의 책이며, 그것도 『노자』의 5분의 2만을, 불완전하게, 채우는 세 권의 책이다. 만약 이것을 『노자』로 부른다면 노자의 지혜 또는 노자의 철학 사상은 모두 새롭게 집필되어야 한다.」 (p040)

하지만, 저자가 해석한 초간노자는 흠결이 보이지 않는 완벽한 정치(통치)철학서였다. 약 1,751자로 된 군더더기가 없는 원액의 논문이며 진본과 같은 원본 노자다. 이는 字典, 〈古文字類編〉과 〈곽점초묘죽간〉을 놓고 초간노자를 조금만 깊이 연구해봐도 금방 알 수 있다. 당연히 초간노자는 81장으로 된 통용본이나 백서본의 일부분이 아니며, 같은 漢字도 아니고 같은 급의 내용도 아니다. 오히려 초간노자는 병본의 異本, 백서본 그리고 통용본이 왜곡으로 점철된 중국 고전들의 전승사라는 것을 증명하는 귀중한 자료다. 물을 것도 없이 백서본과 통용본은 개작된 노자다. 당연하지만, 중국학자가 이체자라며 고친 초간본의 한자는, 모두 자기의 훈(뜻)을 지닌 고유한 한자다.

저자가 이미 해석서를 출간했지만, 老子의 원본은 초간노자다. 백서본과 통용본은 거짓 老子가 초간노자에 쓰인 집권층(智)에 대한 경구의 정치색을 최대한 없애거나 고치고, 장자의 안빈낙도처럼 개인적인 삶에 현학을 많이 보강하여 만든 왜곡본이다. 또한 '공자의 정치론 항백'에서는 중국의 고전들이 전국시대부터 시공간에 따라 왜곡되었음을, 그리고 古文의 석문·주석도 일부 틀리다는 것을 증명했다. 도올이 통용본 노자를 높이 사는 것은 그렇다 쳐도 왜곡으로 점철된 중국 고전사를 전승과정이 정밀했다고 표현하는 것은 정말 해서는 안 될 말이다. 제발 중국인들이 주해한 글을 덮어버리고 노자 그 자체의 문장에 빠져보시라. 당신이 차마 상상도 하지 못한 내용이 펼쳐질 것이다.

老子의 도덕경 123 (1)

왕필의 노자 주는 첫 줄부터 틀렸다.

32. 자아! "無名, 天地之始; 有名, 萬物之母."라는 것은 정확히 무슨 뜻일까?(p62)…"만물"이 공통분모가 되면, 중요한 것은 "시始"와 "모母"가 된다. "시"는 시작, 시초, 태초의 의미이며 "모"는 어미, 생성의 근원 등의 의미를 가진다. "모母"는 그 자형字形 자체가…"모"는 생성의 근원, 더 구체적으로는 생명의 탄생과 관련이 있다는 것을 쉽게 알 수 있다. 그런데 "시始"도….(p63) 상징체계가 "처음"의 의미를 나타내고 있다고 볼 수 있다. 그것은 우리가 살고 있는 코스모스의 시작을 상징하는 것이다.

도道	
무無	유有
무명無名	유명有名
무형無形의 세계	유형有形의 세계
카오스	코스모스
천지지시天地之始	만물지모萬物之母
시始	모母
무욕無欲	유욕有欲
묘妙	교徼

자아! 이렇게 표를 펼쳐놓고 생각하면 보다 생생하게 제1장의 전체 의미가 드러날 것이다. 노자는 사물, 인간과 우주를 포함하는 전 존재자의 세계를 인식하는 방법으로서 유有와 무無를 동시에 직관하는 통관通觀의 태도를 고집한다. 노자에게는 서양의 고전철학이 고민하였던 존재와 비존재의 문제는 있을 수 없다. 무無라는 것은 비존재 즉 아무것도 없음을 뜻하는 것이 아니요, 단지 무형無形일 뿐이며, 무형이기 때문에 무명無名일 뿐이다.(p64)

（저자）〉 도올은 두 번째 줄이 첫 번째 줄의 이유, 즉 '왜냐하면'에 해당하는 글인 것을 한순간도 생각해보지 않고 있다. 현학자 대부분이 그렇다. 그래서 2연의 문장을 감각의 세상 즉 형이하의 우주로 상정하고, 老子가 우주를 인식하는 방법으로써 통관적 방법을 주장한 글이라고 말한다. 즉 도올은 無가 존재와 대비되는 비존재를 말하는 것이 아니라, 형체가 없다(無形)는 말일 뿐이고, 그래서 無名(이름이 없음)이다고 말한다. 이는 왕필 注나 장석창의 글에서 이미 예견된 것이었다.

백서본은 天地之始가 萬物之始로 나왔다. 다음 문장이 '유명 만물지모'인 까닭에, 무명·유명을 가르는 말은 오직 始와 母밖에 없다. 이에 도올은 시와 모를 유사하게 보고서, 두 문장 모두 '우리가 사는 코스모스의 시작을 상징하는 것'이라 말한다.

둘이 유사하다는 것은 맞다. 다만 始·母의 본뜻을 쫓아 그대로 '처음'이고 '어머니'로 번역하고 뜻을 숙고했으면 좋았을 것인데, 도올은 우주의 시작을 상징하는 것으로 본다. 이 해석도 이미 중국측 고명의 주석에서 본 것이다. 어쨌든 시와 모를 유사한 뜻으로 보면, 만물지시와 만물지모는 거의 같은 뜻이 될 수밖에 없다. 그러나 老子는 이것을 반대의 문장인 무명과 유명으로 잇고 있다. 여기서 현학계는 첫 연을 생각했어야 했다. 즉 첫 줄과 이어서 생각하면, 곧 태초의 무엇은 인간이 이름할 수 없는 존재자이지만, 도를 가차함(有名)으로써 논의도

226   老子의 도덕경 123 (1)

가능하고 만물지모로 정의할 수 있다는 뜻이다. 즉 우리는 가차한 이름 道로 인해서 道하면 만물의 어머니라고 개념 정의할 수 있는 것이다. 바로 이 말을 하는 문장이 무명 천지지시 유명 만물지모다.

도올의 설명과 표는 제1장을 대칭되는 단어로 나눈 것이다. 둘로 나눈 것은, 초원의 주석처럼, 상대적이 아닌 서로 독립적이면서 상관적 관계를 갖는 이차원적 표현이지만 궁극적으로 모두 道에 수렴한다. 즉 형이하의 세상인 道라는 일원론으로 통일된다. 이는 老子의 철학관이 아니다. 노자는 형이상인 道와 형이하인 名의 이원론적 관점이 궁극적으로 형이상인 만물의 어머니인 道에 수렴되는 일원론의 이야기다.

또 표의 문제는 제1장의 내용과는 너무 다르다. 넓은 마음으로 이해해서 무명과 유명은 도를 칭한 것으로 받아 줄 수는 있어도, 무욕과 유욕은 '하고자 함이 없으면, 하고자 함이 있으면'으로 번역해야 하는 문장이기 때문에, 그것 자체가 주어나 명사가 될 수 없어 주체가 아니다. 당연히 그 문장의 주체는 생략된 '사람' 즉 군주인 까닭에 道가 될 수 없는 단어다. 또 묘나 요도 道가 될 수 없다. 문맥상 묘는 도가 드리운 상이요, 요는 만물(세상, 사람)이기 때문이다. 사실 故 以下는 인식론의 글이기 때문에 당연히 道를 묘사한 글이 아니다.

도올은 앞서 노자를 '형이하의 일원론'이라고 표현했다. 만물지모인 道조차도 형이하로 이해한 것이다. 그 영향이 이곳 母에 대한 두루뭉

술한 해석이다. 母를 어미라고는 했지만, 이어서 생성의 근원, 생명의 탄생으로 잇고, 이는 다시 始와 같은 '처음'의 의미를 나타내고 있다고 표현한다. 두 문장 다 우리가 사는 우주의 시작을 상징하는 것으로 본 것이다. 즉 도올은 문장이 그렇게 쓰여'만물의 어머니'로 표현은 하지만 그것은 우주의 시작을 상징한 것으로 본다. 이러한 해석은 백서본 출토 이후 중국 현학계의 경향이었다. 하지만 '만물지모'는 오직 道를 가리키는 것이며, 도는 형이상의 존재자요 무한의 존재자이자 만물의 어미인 까닭에 無가 아니다. 시공간 속이든 밖이든 하늘과 땅의 탄생보다도 먼저 있었고 천지가 사라진 후에도 사라지지 않을 영원한 존재자다. 이를 無나 형이하로 본다는 것은 넌센스다. 앞에서 논했던 왕선산의 형이상자와 형이하자의 주석은 形에 대한 개념 오류다.

33. **이름이 없음이 천지의 시작이요, 이름이 있음이 만물의 어미이다.**

"이름이 없음"은 "모습의 없음"이요, 모습의 없음은 천지의 시작, 즉 태초의 모습이다.…모든 사물은 무명과 유명 이 두 차원의 사태에서 통관되어야 한다. 유명은 구체성을 띠는 생성의 형태이므로 그것은 만물의 어미가 된다.…(p65)…일심이문의 사상은 노자의 무명과 유명의 사유를 전제로 하지 않고서는 이해될 수 없다.…노자의 무명·유명은 우주론의 문제이며, 우주를 감지하는 인간의 인식방법 전반의 문제이기 때문에 여래장식의 논의를 뛰어넘는 총체적인 논의이다. "진여眞如"라는 것은 "도가도비상도"라는 노자의 말대로, 말할 수도 없고 생각할 수도 없는 것이다.(p66)…무명은 천지지시요, 유명은 만물지모이다. 모든 사물은 무명과 유명의 복차원複次元에서 동시적으로 인식되어야 한다.…나라는 존재는 유명의 존재인 동시에 무명의 존재이요(p67), 모母와 시始를 동시에 구유하는 존재이다. 내가 인지하는 모든 사물이 그와 같다.(p68)

저자〉 둘째 단원의 끝이다. 도올은 문장을 번역 후 3단논법과 같은 글로, 무명 천지지시를 '이름이 없음'은 '모습의 없음'이요, 모습의 없음은 천지의 시작, 즉 태초의 모습이다.고 말한다.

이 설명은 是非 거리도, 논증할 가치도 없는 말이다. 갓 태어난 반려동물이 이름이 없다고 모습도 없는가! 또 천지의 시작 즉 태초의 모습은 모습이 없었는가? 우리는 이미 태초 즉 빅뱅의 초초초초…시간에 우주는 엄청난 팽창을 했다는 것을 알고 있다. 즉 태초의 모습이 형체가 없는 모습일 리는 없다. 인간이 없었을 뿐, 우리가 상상하는 무한한 형상들이 존재했을 것이다. 이 역시 말이 될 수 없다. 노자는 궤변의 글이 아니다.

태초에 로고스도 아니고 원소주의적 아르케도 아닌, 무명·무형의 아르케가 있었다는 설명도 노자를 전혀 이해하지 못하고 있음을 여실히 보여주는 것이다. 특히 이원론의 입장에서 논하는 道와 名의 상관적인 관계에 대해 老子의 마음을 보지 못하고 있다. 즉 규정할 수 없는 존재자 '무엇'이기에 가차한 이름을 道라고 한 것을, 어머니가 나면서부터 부여한 만물의 이름(名)과 구분하지 못하고 있다. 하지만 '유명만물지모'와 '시제유명'의 有名은 대상이 다르다. 이것을 구분하지 못하면 노자는 해석되지 않는다.

유명 만물지모의 해석을, '유명'이 '구체성을 띠는 생성의 형태이므로 만물의 어미가 된다'고 풀이했는데, 이는 한문 그대로 유명이 만물의 어미라는, 그 이상의 어떤 뜻도 없다. 즉 아무 설명도 아니다. 나름 논리적으로 설명한다고 '구체성을 띠는 생성의 형태'라고 유명을 설명하는데, 그것이 대체 무엇인가? 도인가! 도올의 母와 연관한 설명은 미흡하다. 아무튼, 도올은 초원의 유무에 대한 해석을 가지고 와, 존재 양태의 2차원으로 둘째 단락을 해석한다. 하지만 대립적이든 상관적이든 이 해석은 틀리다. 그 말이 아니기 때문이다. '초원이나 도올이 제32장의 도상무명을 이해했다면, 이곳의 문장을 풀지 않았을까?' 하는 아쉬움이 든다.

도올 번역을 정리하면, '모습의 없음(무명)은 태초의 모습이요, 유명은 구체성을 띠는 생성의 형태이므로 그것은 만물의 어미가 된다'는 말인데, 이것이 어떻게 모든 사물은 무명과 유명의 複次元에서 동시적으로 인식되어야 하고, 나라는 존재는 유명의 존재인 동시에 무명의 존재이요, 母와 始를 동시에 갖춘 존재라는 것이 도출될 수 있는가? 도올은 '사람이 곧 하늘(도)이다'는 인내천의 뜻으로 이 문장을 이해하는 것 같은데 이 문장에서 나올 수 없다.

도올은 또 무명과 유명의 문장이 불교의 일심이문, 여래장식, 진여의 토대라고 주장한다. 세상의 모든 종교나 철학이 상호간 영향을 주고받지 않았다고 보기는 어렵다. 세상 무엇도 변증법적이지 않은 것이 없기 때문이다. 다만, 불교의 어떤 사상이 노자라는 텍스트 전반을 통해서 깨우친 진리라면 수긍할 수 있지만, 만약 이곳의 무명과 유명에서 파생한 것이면 수긍하기 어렵다. 내용 면에서 전혀 그 뜻이 아니기 때문이다.

한편 도올이 말하는, "모든 사물은 무명과 유명의 複次元에서 동시적으로 인식되어야 한다."에서 '무명과 유명의'를 제거하면, 이는 老子가 바라는 名의 존재가치에 대한 관점일 수 있다. 道의 자식인 만물은 모두가 의미체인 것이다. 어머니인 자식이 설령 하찮고 귀찮고 불편하더라도, 거기에는 분명 존재의 의미가 있는 것이다. 어머니가 의미 없이 낳지는 않았을 것이기 때문이다. 복차원은 이때 쓰는 것이다. 이는 "내가 인지하는 모든 사물이 그와 같다."이다. 결론적으로, 노자와 연결하는 설명이 아니었다면 그것 자체로 깨우침에 관한 깊은 심금을 울리는 글이 되었을지 모르지만, 애석하게도 '도올의 설명 글은 무명·유명의 문장과 맞지 않다'는 것이다.

[쉼터] : 제3연으로 넘어가기 전에 초원의 제1장 나머지 부분 주를 역해했다. 마지막까지 현학으로 이해하고 있음을 볼 수 있다.

能觀不測之妙. 與無際之徼. 則有無之為常有無. 而非可名之有無. 可知矣. 無乃特無. 故不殊於有: 有乃獨有. 故不別於無. 二者名雖異 而

同其常 而同出於自然. 斯之謂玄矣. 常有故即有即無. 常無故亦有亦無. 斯之謂又玄。逆而入 則一眞歷然 順以出. 則萬化森如. 此即 衆妙開闔之門. 而千歧萬徑 所共由 以之適者也.

측정이 안 되는 묘와 가장자리가 없는 요를 능히 관찰하면, 유와 무는 영원히 有와 영원히 無를 삼는 것이어서, 이름할 수 있는 유와 무가 아니다. 분명히 알 수 있지 않은가? 무는 이에 특별한 무다, 까닭에 유에서 끊어져 나오지 않았다. 유도 이에 독립적인 유다. 까닭에 무에서 나누지 않았다. 두 놈은, 이름이 비록 다르지만, 그들의 常은 같고, 자연(스스로 그리하여)에서 나온 것도 같다. 이것이 '가믈기'를 일컫는 것이 아닌가? 상유는 그러므로 곧 유요 무다, 상무도 그러므로 또한 유요 무다. 이는 가믈기를 또 일컫는 것이다. (까닭에 상도를) 뒤따라서 들어가면, 一의 참됨이 확연히 드러나며, (만물이 歸一하는 것을 묘사한 것 같다) 앞세워 나오면, 온갖 변화가 틈새 하나 없이 빽빽할 만큼 가득하다. (만물이 生하는 세상을 묘사한 것) 이는 곧 온갖 묘가 열리는 문인 것이다. 그래서 천 갈래 갈림길과 만 갈래 지름길이 (상도를) 인연(연유)으로 함께하는 바니, (상도)로써 (인간들은) 사람을 만나고·가고·이르고·도달하고·따르는 것이다 함이라.

[해설] 초원은 묘와 요부터 마지막까지 모두 형이상의 세계로 묘사하고 있다. 상무욕과 상유욕의 문장도 왕필과 같이 상무와 상유로 끊어서 관념적으로 해석하고 있어 이해하기가 쉽지 않다. 하지만 이 문

장은 백서본이 항무욕야와 항유욕야로 쓰여 상무나 상유로 끊기는 거의 불가능한 문장이다. 그렇게 끊었다는 것은 이미 옆길로 샜다는 뜻이다. 처음 누가 연구를 시작하고 강화학파라 했는지 모르지만, 하상공이나 고명의 주처럼 도가도비상도의 상도를 묶어 道와 다르게 보는 것은 노자를 바르게 읽었다고 할 수 없다. 따라서 그들의 삶과 사상을 연구하는 참고자료로는 모르겠으나, 노자의 注가 옳다고 해서는 안 될 것이다.

3연 : 故常無欲 以觀其妙 常有欲 以觀其徼
　　　故恒无欲也 以觀其眇 恒有欲也 以觀其所噭

34. 무명과 유명의 문제가 우주론적 차원의 문제라고 한다면 무욕과 유욕의 문제는 인생론적, 가치론적, 윤리학적 차원의 문제가 된다.

常無欲 以觀其妙 常有欲 以觀其徼

명名(이름)이라는 것은 분별을 전제로 한 것이다. 분별의 요청이 없으면 명은 생겨나지 않는다. 그러기에 명은 욕欲을 유발시킨다.(p68)…노자는 무욕과 유욕을 말한다. 즉 무명과 유명의 인식론·우주론을 인간론으로 바꾸어 말하면 무욕과 유욕이 된다는 뜻이다.

늘 바램(욕심)이 없음으로써 그 묘함을 보고, 늘 바램(욕심)이 있음으로써 그 교함(가상자리)을 본다. "묘妙"는 센터를 지시하는 것이요, "교徼"는 페

레페리를 지시하는 것이다. 센터는 블랙홀과 같이 모든 것이 빨려 들어가는 무형의 자리인 동시에 모든 것이 생성되어 나오는 창조의 센터이기도 하다. 교徼는 …확실한 자의는 알 수가 없다. "요행徼倖"(이때는 "교"가 "요"로 발음된다)이라는 말에도 쓰이고, 또 "구한다求"는 뜻도 있다.

"욕심이 있음으로써 가상자리를 본다"는 명제에서 가상자리는 무명과 유명, 즉 무형과 유형의 경계, 명과 형이 생겨났다 없어지고, 또 없어졌다 생겨나고 하는 그 경계의 자리를 의미한다. 묘함이라는 것은 무명의 중앙이며, 인간의 분별지가 미칠 수 없는 언설을 떠난 자리이다.(p69)

(저자)〉 원문은 앞에 '까닭, 이유'를 뜻하는 故가 있는데 도올은 설명에서 뺀다. 하지만 이 字가 중요한 것은 제1장에서 말하고자 하는 본론이 시작됨을 알리는 신호이기 때문이다. 즉 앞의 2개 연은 이제부터 말하고자 하는 것의 도입 글일 뿐이다. 물론 앞 문장이 중요하지 않다는 것은 아니다. 故 以下를 설명할 중요한 전제가 있기 때문이다. 그것이 '만물지모'다. 당연히 현학자나 도올처럼 잘못 해석하면 '고 이하'는 볼 것도 없다.

故를 기준으로 제1장은 이전 존재자 道 이야기에서 이후 道를 인식하는 방법의 글로 바뀌는 변혁적인 글이다. 그러나 도올은 이미 앞에서 형이하의 일원론으로 본 까닭에 첫 문장 비상도의 常·道가 제1장 마지막까지 논의되는 우주론의 글로 이해한다. 그리고 欲을 앞 문장의 名과 연관 지어 설명하려고 준비하고 있다.

이 문장을 직역하면, '까닭에 늘 하고자 함이 없다 함으로는 그의 眇(妙)를 살펴봄으로써이고, 늘 하고자 함이 있다 함으로는 그의 所嗷(徼)를 살펴봄으로써이다'이다. 이는 앞에서 언급한 道를 관찰하는 방법을 서술한 글이다. 주체는 찾고자 방황하는 군주(인간)이다. 그래서 하고자 함이 없음과 하고자 함이 있음은 사람이 道(의 마음)를 보고 느끼고 알 수 있는 수단이요 방법이다. 즉 제3연은 어머니인 도의 마음을 인식하는 방법을 설명한 글이다.

도올은 '늘 바램(욕심)이 없음으로써, 늘 바램(욕심)이 있음으로써'로 읽는데, 요즘 한문학계의 추세로 보인다. 아마 누군가 '써 以'가 나온 문장을 가지고, 앞에서부터 읽어내려가도 '때문에'가 아니라 '으로써'로 번역하는 것이 맞다고 학술지에 올렸나 싶다. 결론부터 말하자면 둘 다 以가 가지고 있는 훈이기 때문에 정확히만 읽어낸다면 문제될 것은 없다. 하지만 앞에서 읽어 내려갈 때 以는 조사적인 성격이 강해 '때문에'가 좋고, 뒤에서 읽어 올라올 때 以는 서술어의 의미가 강해 '으로써'가 어울린다. 예를 들어, 是以는 보통 '이 때문에'로 번역하나 '이로써'로 번역을 해도 문맥상 뜻은 알 수 있다는 것이다. 하지만 이곳은 도올처럼 번역하면 안 된다. 왜냐면 백서본에 '고상무욕야이관기묘'로 쓰여, 以 앞에서 문장을 끊어 읽어야 하기 때문이다. 통용본만 있다면 도올의 번역에 是非할 수 없지만 백서본이 발굴된 지금에는 하나로 해야 한다.

'가상자리는 무명과 유명, 즉 무형과 유형의 경계, 명과 형이 생겨났다 없어지고, 또 없어졌다 생겨나고 하는 그 경계의 자리를 의미한다. 묘함이라는 것은 무명의 중앙이며, 인간의 분별지가 미칠 수 없는 언설을 떠난 자리이다'고 설명한다. 본인은 나름 잘 설명했다고 흡족해할지 모르지만, 근거도 없고 얼토당토않은 설명이다.

묘는 도가 드리운 象(마음)이다. 그 무엇을 거치지 않고 인간이 직접 깨치거나 계시를 통해 어머니의 상에 다가선 것을 이렇게 표현한 것이다. 어머니가 드리운 상이 희로애락의 표일 수 있고 계시일 수 있고 머리·꼬리·허리의 모습일 수도 있고 자신의 대표적인 名일 수도 있다. 즉 도가 보여주고자 하는 그때의 마음 상태다. 이를 무명의 중앙이니 언설을 떠난 자리니 하는 것은 달콤한 사탕발림일 뿐이다. 또 통용본의 徼는 '변방'을 뜻한다. 道에 있어서 요는 母의 子인 만물이 어머니에게서 떨어져 나와 사는 현상계이다. 즉 형이상인 도의 변방은 형이하의 다른 세상뿐이다. 백서본으로 이으면 더욱 분명하다. 결국 이 말은, 늘 하고자 함만 있다면 세상을 관찰함으로써 도를 볼 수 있다는 의미다. 이는 군주의 나라이자 백성의 입을 보라는 것이다. 도올은 마치 요(교)라는 가상자리 설명을 탄생이나 죽음처럼 차원이 다른 경계를 의미하는 것으로 묘사하나, 이는 왕필의 歸終(돌아가 마치다)처럼 현학자의 표현을 모음한 것일 뿐이다.

한편 도올의 묘나 요에 관한 해설은 깨우친 자나 가능할까 누구나 본다는 것은 거의 불가능에 가깝다. 묘는 몰라도 요는 유욕의 방법이어서 누구나 충분히 가능해야 하는데도 그렇다. 중국 주류학계의 관점인 玄學적 해석이 무명·유명에 의미부여를 너무 하다 보니 발생한 것이다.

35. 노자는 『기신론』이 말하는 진여와 생멸을 매우 소박하게 무욕無欲과 유욕有欲으로 표현한다.…유욕은 형명形名의 분별의 세계와 관계되므로 당연히 유욕이 관觀하는 세계는 분별이 명료하게 드러나는 페리페리의 세계이다. 그러나 무욕함으로써 인간은 분별의 앎을 떠난 그 전체, 무명의 본바탕 그 센터로 직입直入할 수 있게 된다. 무욕은 결코 욕의 전면적인 거부가 아니다. 욕은 인간에게서 사라질 수도 없고 사라져서도 아니 되는 것이다. 무욕이란 분별지의 폭력에서 벗어나는 것이다.

노자의 원문을 보면…"상常"이 있는데, 그것은 신텍스상으로는 "늘"이라는 부사적 용법으로 쓰인 말씨이지만,…무욕과 유욕이 일자를 부정하고 타자에게로 나아간다는 뜻이 아니라, 다같이 "상常"의 우주의 두 측면임을 나타내고 있다.…상常의 두 측면으로 공존共存하는 것이다. 우리의 일상日常에도 묘妙와 교徼는 공존하는 것이며, 병존하는 것이다. (p70)

(저자)〉 저자는 모르는 외래어나 개념은 찾아가면서 이 책을 썼다. 혹 설명이 얕아 보인다면 어쩔 수 없는 한계다.

노자의 道는 하나님과 같은 절대자다. 道가 종교화하지 못한 것은 절대군주하에서 진본이 왜곡되면서 왕필과 같은 현학자에 의해 無에서 有가 나오는 우주론으로 해석된 글이 노자의 정석처럼 받아졌기 때문이다. 즉 노자는 인간이 깨침으로 열반에 든다는 내용이 아니다. 형이상인 道의 자식으로서 군주(인간)가 세상을 살아갈 때 고유한 名을 이해하고 살라는 글이다. 그것이 깨우침이나 다름없을 뿐 불교 철학과 본질적으로 다르다. 당연히 깨우친 후의 적용에도 차이가 있다. 노자는 깨우침을 정치로 잇는 까닭에 핵심어는 佛家의 心이 아니다. 개인이라면 心이 중심이 되겠지만, 군주에게는 만백성이라는 대상이 있기 때문이다.

무욕과 유욕은 도올의 글처럼 기신론에서 말하는 진여문과 생멸문의 이야기가 아니다. 즉 一心을 일으키기 위해 진여문과 생멸문을 통관하는 닦음을 하라는 말도, 常의 우주의 두 측면임을 나타내는 것도 아니다. 무욕과 유욕은 행위 주체인 군주(인간)가 道를 볼 수 있는 방법이며, 둘은 방법적인 측면에서 전혀 다르다. 왜냐하면, 무욕은 도를 직접 영접하는 것이어서 깨우친 성인이나 가능한 고난의 길인 반면, 유욕의 방법은 하고자 하는 마음만 있으면 누구나 가능하기 때문이다. 老子는 이것을 말하고자 이 문장을 쓴 것이지 일심을 가지기 위한 통관을 하라는 말이 아니다.

도올의 설명은 항상 주변을 맴도는 듯한 느낌을 주는데, '무욕, 유욕'도 마찬가지다. 문장 중에 '유욕이 觀하는 세계는…'이라는 문장은 주어가 분명 유욕이다. 그런데 다음에 이어지는 문장에서는 '무욕함으로써'라고 주어가 아닌 방법론적인 글의 형식으로 쓰고 있다. 이는 억지스러운 해석 때문이다. 즉, 도올은 이미 앞에서 무욕과 유욕을 도의 두 측면으로 해석했지만, 번역상에서는 주체로 보기도 애매하고 道로 보기도 모호하다. 까닭에 문장으로 읽기는 상당히 어렵다. 단언하지만 현학의 입장으로 제1장의 번역과 해석은 필요충분할 수 없다.

제1장은 모든 절이 중요한 의미가 있지만, 무욕과 유욕이 나오는 이 절은 특히 그렇다. 인간이 도를 살펴볼 수 있는 즉 도의 마음을 읽을 수 있는 두 가지 방법을 제시하기 때문이다. 도올처럼 기신론과 연결하여 무욕과 유욕을 이상하게 해석하면 안 된다.

무욕과 유욕의 주체는 인간(군주)이다. 그리고 無欲 즉 '하고자 함이 없음'은 欲의 전면적인 거부여야 한다. 그것도 앞에 常(늘, 항상, 언제나, 영원히)을 붙여야 妙를 볼 수 있다. 그처럼 묘는 보기가 어렵다. 묘는 '道가 직접 드리운 마음'이기 때문이다. 까닭에, 가능성이 있는 또 하나의 방법이 상유욕이다. 그런데 도를 관찰할 수 있다는 방법이 앞 '상무욕'과 정반대인 '상유욕'의 입장을 취한다. 道를 보는데 術이 정반대인 것이다. 묘미가 아닌가!

이 연은 핵심한자가 통용본과 백서본이 다르다. 통용본은 지금까지 설명한 以觀其妙와 以觀其徼인데 백서본은 以觀其眇와 以觀其所嗷이다. 이는 통용본이 앞뒤 문장의 운율을 맞추면서 철학적으로는 현학적인 느낌이 나도록 최초의 문장을 의도적으로 고쳤음을 보여준다. 즉

제1장의 원문은 백서본이 原意다. 故 앞뒤로 물 흐르듯이 연결되는 문맥의 내용과 구체적인 묘사 그리고 정치서로서의 노자에 부합하기 때문이다.

앞은 통용본이 妙인 반면 백서본은 眇다. 자전의 훈은 '애꾸눈·자세히 보다'이지만 문맥상으로는 '보기 어려움'을 내포한 것 같다. 이를 통용본이 현학적인 개념의 妙로 고친 것이다. 뒤는 백서본이 '바 所'와 '부르짖을 교'로 쓴 것을 통용본이 '변방, 순찰하다, 구하다'를 뜻하는 교(요) 한 자로 고쳤다. 이에 중국 경학자들이 백서본의 연구는 뒤로 한 채, 所는 버리고 앞뒤 한자 모두 통용본의 이체자로 풀이한 이후 세계가 이를 따른다. 하지만 저자는 原字 그대로 사용해 막혔던 제1장의 마지막 퍼즐을 풀 수 있었다. 즉 의미도 추상적이고 내용 연결도 되지 않았던 통용본의 요가 백서본에 소교로 나와 문자 그대로 '그의 소리치는 바(것,곳,방법)를 관찰함으로써이다'가 되어 뜻이 분명하게 나타나기 때문이다. 그래서 통용본의 徼를 취하여 설명하는 도올이나 많은 중국측의 注는 틀리다.

도올은 또 상무욕과 상유욕의 常을 이상하게 해석한다. 보통 불교의 경전을 연구하는 사람들이 주로 이런 방식으로 문장을 해석하는 것 같은데, 노자는 그렇게 해석해서 알 수 있는 텍스트가 아니다. 여기의 常은 '늘'이라는 부사이자 구문론상 뒤의 無와 연결하여 전체부정의 뜻을 나타낸다. 묘와 교 또한 공존도 아니고 병존도 아니다. 묘는 道

의 상이요 소교는 군주의 나라이자 백성의 소리다.

노자를 읽다 보면 가끔 자의적으로 해석하는 문장들을 보게 되는데, 예를 들어 통용본의 無爲를 '함이 없음, 작위하지 않음' 등으로 번역은 하되, 그렇다고 '아무것도 하지 않는다는 것은 아니다'처럼 해석하는 것이다. 초간노자가 없었던 때는 이해가 간다. 하지만 초간에 亡爲로 쓰인 것을 목도한 오늘날에는 그것이 왜곡임을 알아야 한다. 원문은 행위가 없음이 아니기 때문이다. 옛 성인의 뜻은 고문자 그대로 해석하면 되는 것이지 오늘날의 한자로 고쳐서 볼 것이 아니다.

36. 노자가 『도덕경』이라는 경전을 쓴 이유는 분명, 우리에게 유욕이나 유명을 가르치려는 것이 아니요, 무욕과 무명의 웅혼함과 그 웅혼함이 길러내는 그 인(p70)격자세를 가르치려는데 있다는 것은 자명하다.(p71)

(저자)〉 노자는 만물의 어머니인 도의 性情을 이해하고, 과거 聖人의 行蹟을 따라서 道悳의 治世를 염원하는 정치(통치)서이다. 人·民에게 인격자세나 무욕과 무명의 웅혼함을 가르치려는 것이 아니다. 특히 도올은 유명·무명의 문장과 유욕·무욕의 문장이 전혀 다르다는 것을 모르고 있다. 노자의 글과 정말 동떨어지는 해설이다.

老子는 군주나 우리에게 무욕은 생각도 안 한다. 그것은 너무 어려워 거의 불가능하기 때문이다. 평생 깨우침을 따르는 老子나 가능한 이야기다. 그럼 道의 마음을 알 수 없는가? 그래서 생각한 방법이 백성이다. 그 術이 늘 하고자 함(상유욕)이요 그 방법이 至賤에 깔린 백성의 소리를 듣는 것이다. 그럼 의문이 생긴다. 도의 마음을 읽는데 '왜 백성의 소리를 들어야 하지?' 그 이유를 설명하는 글이 마지막 제4연이다. 물론 '유명 만물지모'를 저자처럼 해석했다면 이미 그것에서 어느 정도는 알 수 있다. 끝으로 도올의 해석은 너무 어렵다. 노자의 '유욕, 유명, 무욕, 무명'을 그대로 사용해 해석하기 때문이다. 계면쩍은 해석이다.

4연 : 此兩者同. 出而異名 同謂之玄 玄之又玄 衆妙之門

兩者同. 出, 異名同胃 玄之有(又)玄 衆妙之門[( ):을]

37. 노자의 사유의 전반에 깔려있는 정조情調는 유에 대한 무의 가치론적 우위성이다. 유형보다는 무형이, 유명보다는 무명이, 유욕보다는 무욕이, 모母보다는 시始가, 교徼보다는 묘妙가 가치론적으로 우월성을 지니는 것이다. 그러나 무가 무로써 진정하게 존립하기 위해서는 유를 같이 상정해야만 하는 것이다.…노자는 말한다.

此兩者同. 이 둘은 같은 것이다.

바로 이 노자의 선포에서 二門이 一心이라는 마명의 논리가 나왔고 원효의 화쟁사상이 성립한 것이다. …"이 둘"이라는 것은 무와 유, 무명과 유명, 무욕과 유욕, 천지지시와 만물지모, 묘와 교, 기존의 문맥의 어떠한 짝이든

지간에 무리없이 해당될 수 있다. 무욕함으로써 바라보는 묘한 세계, 유욕함으로써 바라보는 페리페리의 분별세계가 결국은 같은 것 … .(p71)

(저자)〉 제1장의 마지막 문장이다. 문장이 달라 해설은 백서본 중심으로 오가며 할 생각이다.

도올이 가치론의 우월성으로 든 예시문장은 우월성을 논하는 글이 아니다. 유명과 무명은 '도라는 이름이 있다면·없다면'으로 가명의 이유를 논한 글이며, 유욕과 무욕은 마음 상태를 표현한 방법론으로 주체가 '사람'이며, 母와 始는 도를 가리키며 묘와 요(소교)는 무·유욕으로 볼 수 있는 도의 마음(모습·상)을 묘사한 단어다. 유형과 무형은 老子가 사용한 단어가 아니다. 특히 '노자의 사유의 전반에 깔려있는 情調는 유에 대한 무의 가치론적 우위성이다'는 주장은 이 장에서 도출될 수 없다. 전혀 동떨어진 이야기다.

철학적 관점에서 노자는 道와 名, 즉 영원과 유한으로 구분된 二元의 이야기이면서, 道의 자식인 만물은 본질적으로 어머니(道)와 같아 名이 다하면 다시 道로 돌아가는 일원론이다. 즉 노자의 철학관은 一心으로 인간 개개인이 곧 전체가 되는 起信論이나 원효의 화쟁사상인 二門一心이 아니다. 혹 왕필도 그렇고 중국도 그렇고 도올도 그러하다시피, 제1장을 인간 마음에 일렁이는 두 가지 상관적인 것으로 해석했을 수는 있다. 그래서 지금 대승불교나 원효대사가 그것에 영향을 받아 나름의 一心사상으로 만들었을 수는 있다. 그렇다고 해도 노자 제1장은 道의 존재론에 관한 글이자 도를 보는 방법을 쓴 인식론일 뿐이다. 노자 외의 사상은 깊이가 없어, 노자가 어떤 영향을 미쳤는지 異同은 무엇인지 논하기 어렵다. 다만 不二論이 형이상과 형이하를 논한 것이라면 같겠지만, 一心二門의 문제에서 나온 거라면 노자와 틀리다는 것은 확인해줄 수 있다.

차양자동에서 양자가 무엇을 가리키는가를 놓고, 왕필은 始와 母로, 하상공은 유욕과 무욕으로, 또 다른 이는 상무와 상유 등등 의견이 분분하다. 이에 도올은 이 모든 것을 합하여 대구되는 짝은 모두 해당된다는 식으로 해설한다. 이 4자로 현존하는 모든 철학과 종교를 포괄하는 뜻으로 풀고 싶은 모양이다. 하지만 이 모든 注는 제1장을 바르게 읽어내지 못한 것에서 나온 오답들이다. 양자는 볼 것도 없이 제2연의 마무리 만물지모의 萬物과 규정할 수 없는 母다.

38. 차양자동此兩者同! 본체와 현상이 둘이 아니다. 하늘나라와 이 세계가 둘이(71) 아니다. 하나님과 사람이 둘이 아니다.···하나님은 완전하고 인간은 불완전한 존재라는 문제설정 자체가 사기요, 엉터리요, 인간을 등쳐먹으려는 놈들의 사업농간이다.

하나님은 완전하기에 불완전해지려고 노력하고 인간은 불완전하기에 완전해지려고 노력하는 그 과정,···완전과 불완전을 서로가 공유하는 복잡한 관계, 그 과정이 곧 우주요, 삶이요, 生이요, 도라고 생각하면 어디가 덧나

냐! 사유는 자유다. 철학은 무전제다. (p72)

(저자)〉 양자는 도인 어머니와 자식인 만물이다. 자식인 만물은 한시적으로 名을 갖고 살다 언젠가 어머니인 道로 돌아가겠지만 어디까지나 어머니의 형질을 가지고 있어 같다고 한 것이다. 즉 만물은 도의 부분이다. 그래서 군주는 백성의 소리에 귀 기울여야 한다. 그게 聖人이요 道의 대리자라 할 것이다.

인간은 名 받은 유한한 존재다. 태어났으니 100년이든 200년이든 살다 언젠가는 죽는다. 인간은 사회적 동물이다. 태어나 죽을 때까지 사회적 유대감이 있는 집단 속에서, 자식으로 부모로 친구와 동료로 부장으로 등등, 여러 방면에서 위치를 점하며 살아간다. 사회는 질서를 위해 규범을 만들고 규범은 사람을 통제한다. 통제는 인간이 만든 제도가 아닌 전지전능 불생불멸의 존재자가 더 효과적이다. 차원이 다르기 때문이다. 그래서 아무리 타락한 신부·목사·땡중·도사가 넘쳐나도 백성에게 통하는 것이다. 즉 영원히 名을 잃은 神이 증명되거나 혹은 인간이 영생하기 전까지는 중재자로 포장된 그들에 의해 神의 이름으로 통제된다. 그러나 백성이 곧 도의 자식인 까닭에 백성을 얽어매는 중재자의 주둥아리는 거짓부렁이임을 민초는 알아야 한다.

인간은 신이 될 수 없다. 유한하기 때문이다. 신과 인간은 다른 차원이다. 신이 완벽하다면 인간은 불완전하다. 이것은 신이 없다고 해도 마찬가지다. 인간이 유한을 넘어설 때까지는 그렇다. 이 설정은 지극히 당연한 상식이다. 老子 또한 분명히 구분했다. 그것이 道常無名, 始制有名이다. 도는 영원히 이름을 잊었지만, 당신은 도올이고 나는 一老다. 아무리 기고 날아도 당신도 名이고 나도 名이다. 하지만 당신과 나는 다르다. 그래서 당신이 있고 나도 있는 것이다. 각자의 역할이 끝나고 어머니가 손짓할 때 가면 되는 것이다.

따라서 신과 인간이라는 二元的 설정을 사기로 보기는 어렵다. 신을 긍정하든 부정하든 인간은 유한하기 때문이다. 사업농간은 맞을 수 있다. 같은 인간이면서 다른 차원의 사람인 양 행세하며 어린 양들을 현혹하고 유도한다면 사업농간이다. 이 또한 유한한 인간이기 때문에 발생하는 것이다. 이것을 막는 것이 도올같은 철학자가 할 일이다. 엉터리 귀신팔이들이 순한 양들에게 접근하지 못하도록 철퇴를 내려줘야 한다. 씨도 먹히지 않도록 어린 양들의 영혼을 깨워줘야 한다. 그것이 교수요 철학자인 당신이 할 일이다. 하지만 엉터리 노자서로는 어림없다.

사유는 무전제여야 하고 철학은 자유로워야 한다. 그런 세상이 참세상이다. 단 그것은 자신의 것이었을 때 한해서다. 다른 사람이 쓴 글을 해설하는 책을 내려면 글쓴이의 글을 써야 한다. 자신의 글을 써서는 안 된다. 이때는 사유가 무전제여서는 안 된다. 思想書라면 더욱 그렇다. 더해서 비평도 자유로워야 한다.

39. 노자는 일단 무욕과 유욕, 즉 묘妙와 교徼의 세계를 이원적으로 설정했다. 그러나…두 개의 실체라는 의미에서의 이원론은 우리에게는 존재하지 않는다. …다시 말해서 무욕과 유욕의 이원은 이원론적인 대립관계가 아니다. 노자는 명료하게 말했다.

무욕의 세계와 유욕의 세계는 같은 것이다. 무의 세계와 유의 세계는 같은 것이다. 무명의 세계와 유명의 세계는 같은 것이다. (p73)

(저자)〉 무욕(하고자 함이 없음)과 유욕(하고자 함이 있음)의 주체는 인간이다. 그리고 무욕과 유욕은 만물의 어머니인 도가 드리운 심상(마음의 상태)을 볼 수 있는 수단으로써 인간 마음이다. 그것을 수단으로 해서 직접 보는 것이 묘요 간접적인 것이 소교다. 따라서 무욕과 유욕은 이원적인 세계를 말하는 것이 아니다.

왕필을 따르는 중국의 주류학계가 '무욕, 유욕'을 道로 칭하여 2차원의 세계로 풀이를 했다고 쳐도, 도올까지 그들을 따라 유욕과 무욕을 모두 道로 해석할 필요가 있는가? 우리는 한문을 번역할 수 있는 위대한 한글이 있다. 유욕과 무욕을 한글로 번역하면, '하고자 함이 없음/있음'으로 번역됨이 명백함에도 번역은 그렇게 하고서, 해석에서 주체를 道로 설명하는 학자는 자신의 역해를 돌아보아야 한다.

道의 설명은 제2연 유명·무명으로 끝난다. 문장이 무욕과 유욕의 대구로 쓰였다고 앞처럼 道로 이어야 할 내용이 아니다. 故 이하부터는 道를 찾아 헤매는 사람에게 주는 메시지다. 그리고 故常無(有)欲의 문단에서 道를 지칭하는 단어는 '그 其'다. 현학 쪽 사람들은 상무욕 상유욕을 道로 연결하기 때문에, 뒤쪽 其를 만물로 해설하는데 얼토당토않다.

40 "차양자동此兩者同"을 아랫 문장과 연속해서 읽는 용법도 있다. "이 양자는 같은 곳으로부터 나와 다른 이름을 갖게 되었을 뿐이다此兩者, 同出而異名." 결국 대차가 없다고 말할 수도 있겠으나 나는 그러한 독법을 취하지 않는다. 차양자동! 진여와 생멸은 하나다! 본체와 현상은 하나다! 나의 현존과 지향점은 하나다! 훨씬 더 강력한 선포적 의미를 지닌다.

出而異名.

이 둘(차양자此兩者)은 나와서 다른 이름을 갖게 되었다고 번역될 수도 있는데, (p73) 여기서 "출出"이란 오리지네이션을 의미하는 족보적 사유(서구인들에게 가장 흔해빠진 진부한 생각)를 의미하지 않는다. "나와서"라는 뜻은 곧 "우리 인간의식에 접하여"라는 뜻이다. 인식의 대상이 되었을 때 비로소 다른 이름(이명異名)을 갖게 되었다는 뜻이다.…"도가도비상도"에서 노자는 언어에 대한 불신을 표명했지만, 그것이 결코 언어를 부정한 것은 아니었다. 인간이 욕의 세계를 떠날 수 없는 이상, 명의 세계를 떠날 수 없는 것이다. 언어부정의 신비주의적 태도로부터 언어의 방편적 긍정인 노미날리즘(유명론唯名論)에 이르는 근세철학적 테제가 여기 다 들어있는 것이다. 유욕과 무욕, 유와 무는 결국 노미나(=only name)에 불과하다는 것이다.(p74)

(저자)〉'차양자 동출이이명'인지 '차양자동 출이이명'인지의 문제는,

백서본과 같이 비교할 때 답이 나온다. 즉 백서는 '양자동 출 이명동 위'로 쓰여있어, 동출은 앞에 붙는 것이 합리적이다. 그러면 '차양자동 출'인가? 아니다. 동과 출은 의미상 끊어 읽어야 한다. 다만 삽입된 한자로 인해 통용본을 백서본처럼 끊어서 읽는 사실상 어렵다.

도올은 차양자동에 대한 설명을 불교의 진여와 생멸이 하나고 본체와 현상이 하나고로 연결하는 데 내용과는 동떨어진 주장이다. 出 즉 '나와서'라는 글을 '우리 인간의식에 접하여'라는 뜻으로 해석하는데, 정작 '무엇이'라는 주체를 정하지 않았다. 물론 앞의 무엇이든 짝이 되는 것은 모두 된다는 말이라면 '틀리다'. 즉 도올은 왕필 이하 현학 쪽의 설명으로 이해하여 이것 역시 형이상으로 이해했기 때문에 그렇게 설명하겠지만, 출은 나와서며 이는 규정지은 도와 형이하의 만물로 우리 인간의식에 접하는 거와는 아무 관계가 없다. 현학 쪽은 요도 형이상(또는 형이상과 형이하의 경계)으로 설명하기 때문에 도올처럼 설명할 수밖에 없다. 그동안 이것을 제1장의 문장에서 해석하는 것이 난제 중의 난제였었다.

언어를 불신했는데, 언어를 부정한 것이 아니라는 설명이 갑자기 틔어 나왔다. 이 논리가 노자의 문장에서 도출되어야 하는데, 도올은 욕이나 명으로 그것을 뜻한다고 보는 것 같다. 하지만 저자는 이해하기 어렵다.

언어부정의 신비주의적 태도와 언어 긍정의 唯名論의 글도 노자와 연결하지 못해 설명하기 어려운 부분이다. 내용상 모든 것을 포섭한다는 의미로는 알겠는데, 문장의 이해는 어렵다. 도올은 노자 제1장으로 오늘날까지 오르내린 종교적 및 철학적 관점을 모두 포섭하는 글로 주장하고 싶은 것 같다. 여기까지만 해도 노자를 많은 철학 및 종교와 연결하고 있는데, 뒤에도 계속해서 전문 용어들이 등장한다. 저자는 지금껏 노자가 이렇게 많은 종교나 철학의 기반이 된 줄은 몰랐다.

41. "같다"는 것은 "둘이 아니다"(不二)라는 예기에 불과하다. 둘이 아니라구? 같다구! 좋다! 그럼 같다는 것은 과연 무엇이냐? …이 난해한 질문에 노자는 천하에 다시 있을 수 없는 명답을 제시하고 있다.

同謂之玄　같다는 것, 그것을 일컬어 가믈다고 한다.

"위지謂之"의"지之"는 "같음"을 지시하는 지시대명사이다. 따라서 "위지謂之"는 "같음"을 거리를 두어 대상화하고 새롭게 규정한다는 자세를 명료히 하는 어법이다. 혹자는 "같음"을 "현玄"이라는 한 글자로 바꾸어 말한 것이 어떻게 "같음"을 정의하는 새로운 내용이 될까 보냐 하고 눈살을 찌푸릴 수도 있겠지(p74)만, "동위지현同謂之玄"이라는 이 네 글자야말로 하이데거가 "존재망실의 역사"라고 개탄한 바의 모든 문제점을 광정하고도 남을 끝없는 묘수妙數를 비장하고 있다.(p75)…

同謂之玄　그 같음을 일컬어 가믈타고 한다.(p77)

저자〉 도올이 좀처럼 쓰지 않는 문법을 가지고 왔다. 즉 之를 지시대명사라고 하면서 同(같음)을 가리킨다고 한다. 之는 '갈 지'라고 자전에 나오지만, 사실 문장에서 '가다'로 쓰이는 경우는 거의 없다. 대부분 漢字는 훈에 맞게 번역되는데 이 자는 유별나게 대표 훈인 '가다'를 거의 사용하지 않는다. 이는 용법(훈)이 대표적이라 할 수 없거나 틀렸다는 것을 뜻한다. 실제로 자전의 풀이는 미흡하다. 그래서 초창기 저자도 之로 인해 번역이 힘들었다. 之가 들어있는 문장은 직역이 무척 까다롭거나 어색했기 때문이다. 도올의 '동위지현' 번역이 그 예이다. 무척 힘들어했을 느낌이다. 이에 대한 용법은 저자가 이전 책에서도 언급했고 별지 論語에서도 다루었다. 하나 팁을 드리자면, 웬만한 문장은 불완전 명사 '것 之'로 번역하면 읽힌다. 여기도 저자는 이렇게 번역했다. 그러면, '같이 일컬은 것이 가믈다'이다.

한비가 道可道 非常道를 주석하면서 마지막에 道之可道 非常道也라고 쓴 것을 기억할 것이다. 해석가 대부분은 여기의 之를 번역에 넣지 않는데, 자전의 훈으로는 설명할 방법이 없기 때문이다. 오직 하나 '무의미한 조사'로 규정할 수 있겠으나 한자는 누가 뭐래도 뜻글자인데, 한비가 아무 의미도 없이 之를 넣었겠는가?! 여기의 之는 저자가 말한 '것 지'이다. 즉 도가도는 '도는 도를 해도 좋다'고 도지가도는 '도는 도를 해도 좋은 것이다'이다. 즉 한비는 之의 훈이 '것 지'임을 알고서 쓴 것이다.

도올의 번역은 특이한 방식이다. 之를 지시대명사로 보는 것은 대부분의 시각이지만, 그것이 가리키는 명사는 도올이 말한 앞의 同이 아니라, 그 앞의 兩者로 보기 때문이다. 즉 한 문장 안에서, 명사(同)가 있는데 그것을 받는 지시대명사(之)를 또 둔다는 것은 문법적으로 맞지 않다. 다만 진·목/가목으로는 가능하다.

도올이 번역한 '같다는 것, 그것을 일컬어 가믈타고 한다'는 '동, 위 지현'처럼 同이 독립적이어야 한다. 하지만 백서본과 같이 살펴보면 同謂는 떨어져서는 안 된다. 즉 '동위지현'은 하나의 문장이다. 또 다른 번역 '그 같음을 일컬어 가믈타고 한다'는 '그'를 지시대명사 之로 본 것 같은데 한문법상 불가능하다. 즉 도올의 해설처럼 지시대명사로 보기는 어렵고, 오직 이 경우는 영문법의 진·목/가목 용법으로 볼 수 있다. 그러면 번역은 '같음을 가믈다고 이른다'가 바른 직역이다. 만약, '같음을 일컬음이 가믈다'로 번역하려면 謂同 玄처럼 띄어 읽어야 바르다. 즉 저자의 번역으로는 도올처럼 번역이 되지 않는다. 왜냐하면, 목적어를 앞으로 보내고 대신 지시사(가목) 之로 목적어를 받는 형태의 문장은 서술어를 가장 마지막에 번역해주어야 하기 때문이다.

예로 形而上者 謂之道에서 之가 가리키는 것(진·목)은 앞의 형이상자다. 번역은 '모양(에서)(을 기준으로) 위란 놈을 도라고 이른다'가 될 것이다. 身體髮膚 受之父母의 之도 같은 용법인데, 검색하면 '사람의 신체와 모발과 피부는 이것을 부모에게서 받은 것이니'처럼 번역하는 경우가 가장 많고, '신체(身體)의 모발(毛髮)과 피부(皮膚)는 부모(父母)님으로부터 받은 것'도 있다. 하지만 두 경우 모두 바른 번역이 아니다. 이 문장은 '(사람은) 신체발부를 부모에게 받았으니'로 번역하는 것이 바른 직역이다. 즉 주어가 생략된 것이다.[51]

도올의 문장을 읽으면 다음부터 묘수가 열거될 것은 쉽게 알 수 있다. 설명에 앞서 여기까지 통용·백서본의 문장이 상당히 달라 둘을 비교 고찰할 필요가 있다. 왜냐하면 백서본의 내용이 더 논리적이고 합당하다면, 통용본으로 설명한 도올의 해설은 버려야 하기 때문이다.

통용본의 '차양자동 출이이명 동위지현'은 백서본에 '양자동 출 이명동위'로 쓰였다. 즉 2개 문장을 통용본이 3개 문장으로 고친 것이다. 도올은 통용본이 맞다고 보는 듯 통용본으로만 설명을 끝내는데, 저자가 번역한 바로는 백서본이 의미가 합당했다. 도올이 '동위지현'을 명문처럼 설명해 낯이 후끈 하지만 어쩔 수 없는 사실이다. 번역의 차이를 보자.

통용본은 '이 둘은 같다. 나와서 이름이 다르다. 함께 일컬은 것이 가믈다'인 반면, 백서본은 '둘은 같다. 나와, 이름(규정)은 달라졌으나 소화됨은 같다'이다. 백서본의 글에는 此, 而, 그리고 之玄이 없다. 통용본은 이것을 적절히 배치하고 한자와 문장을 고쳐 玄學으로 비치게 했다. 하지만 자수가 적은 백서본의 뜻이 훨씬 명료하다. 예로 두 번 쓰인 同의 경우 백서본은 모두 '같다'이지만 통용본에서는 문맥상 다

---

51) 之 용법 중, 저자가 말한 '것 지'와 '진·목/가목'의 용법은 자전에 없다.

른 훈 '함께'로 번역할 수밖에 없다.

42. "同"은 바로 앞 문장에 있는 "차양자동"을 있는 그대로 반복하여 승계한 주어에 불과하다.…"이 둘"은 무와 유, 무명과 유명, 무욕과 유욕, 묘와 교, 우리가 살고 있는 세계를 분별적으로 바라볼 수 있는 이원성의 극대치이다. 그러나 바로 그 둘은 결국 하나라는 것이다.…원효는 심생멸心生滅을 설명하는 데…바다의 해수와 바람에 의하여 일어나는 파도를 들어 진여와 생멸을 말하고 있…다. 바람에 의하여 일어나는 파상波相(풍상風相)은 생하고 멸하는 심생멸문을 상징한다.…바닷물(水相)은 불생불멸의 진여眞如다. 그러나 바닷물과 파도는 둘이 아니다.…이것이 결국 "차양자동"이라는 노자 1장의 논리가 대승불교에 원용된 대표적인 예이다.(p75)…원효는 진여와 생멸을 설명하는 데 또 진흙(미진微塵)과 와기瓦器의 예를 들기도 한다. 흙을 이겨 그릇을 만든다. 그릇은 생멸生滅한다.…진흙이 진여의 상징이고 그릇이 생멸의 상징이다.…진여문이 또한 이와 같은 것이다.…그런데…이 말의 궁극적 의미를 망각하고 있다. 파도가 일지 않는 바닷물이라해서 그 바닷물이 불생불멸하는 것은 아니다. 다시 말해서 시간을 초월하는 존재가 아니라는 뜻이다.…한문에서 "불생불멸"이라고 하는 것은 "생멸 즉 번뇌"에 대비하여 강조하여 말하는 것이지 생과 멸을 부정하는 불생불멸을 지칭하는 것은 아니다.…그 모두가 시공간의 상常에서 성립하는 것이다.…어떻게 진흙이 초시공적 존재일 수 있겠는가!…진흙과 와기가 불이不二할 수 있는 것이다. 그 양자는 동同한 것이다. (p76)

저자〉 同이 앞 문장을 건너뛴 앞의 '차양자동'을 그대로 반복하여

받는 주어라는 표현은 받아들이기 어렵다. 그 경우라면 其와 같은 지시대명사로 받는 것이 기본이지, 같은 자 同은 아니다. 한문법 학자도 생전 이런 말은 듣도 보도 못했을 것 같다.

양자는 母와 萬物이다. 무와 유는 나누기가 틀렸고, 무욕과 유욕은 주체가 사람을 가리키기 때문에 2개 차원의 세계가 아니고, 우리가 사는 세계를 분별적으로 바라볼 수 있는 이원성의 극대치는 더더욱 아니다. 또 묘는 도의 마음이요 요(소교)는 형이하의 인간(세상)이다.

원효대사의 진흙과 와기, 파도와 바닷물의 예시는 마음의 본질과 현상, 진여와 생멸이 不二 즉 둘이 아님을 쉽게 설명하기 위해서이다. 즉 一心二門에 관한 이야기다. 心眞如門이 불생불멸을 나타내는지는 의문이다. 아무렴 원효대사가 바닷물과 진흙도 물질인데 무한하다고 했겠는가! 까닭에 불이의 예시문이 표현은 맞겠지만, 차양자동을 뜻하지는 않는다. 양자는 형이상과 형이하를 뜻하기 때문이다. 원효의 교리가 형이상과 형이하의 不二論이라면 노자와 입장이 같겠지만, 깨우친 불자의 一心에 관한 깨침을 말하는 것이어서 이원론적 일원론이 아니다. 특히 불이론이 원인이 되어 불교는 그러므로 '삶은 허망한 것'으로 갖지만, 노자는 그러므로 '삶은 소중한 것'으로 갖다. 까닭에 불교는 '반야심경'이요 '일체유심조'요 心이겠지만, 노자는 존재(名)의 固有性이다.

한문에서 不生不滅을 '번뇌'에 대비해서 강조하여 말한다는 것은 '반야심경'의 문장으로는 일편 받아들일 수 있다. 즉 종교적인 관점으로는 그렇게 볼 수 있겠으나 일반적인 의미는 생·멸을 부정하는 불생불멸을 지칭할 뿐이다. 글을 글대로 해석하지 않는 사람들에게 초간노자를 권한다. 3천여 년 전의 한문장이 글로 쓰였는지 읽는 자가 단어를 해독하도록 쓰였는지 따져보라. 백서본 통용본은 왜곡본이기 때문에 글자 그대로 번역하면 비논리적이어서 문장을 일정 부분 해독할 수밖에 없다. 예가 爲無爲다. 하지만 진본은 아니다.

43. 이제 독자들은 "동위지현"의 뜻을 어렴풋하게나마 파악하기 시작했을 것이다. 여기 "동同"이란 무와 유, 무명과 유명…의 세계가 하나로 된, 노미나의 분별을 넘어선 혼용한 전체의 모습을 가리킨다. (p78)

(저자)〉 저자는 '같다'의 同이 '세계가 하나로 된' '혼용한 전체의 모습'을 뜻한 지 몰랐다. '동위지현'의 번역도 이해하기 어렵지만 同의 풀이는 더욱 아니다. 여기의 同은 현상(만물,名)과 본질(道)로 봤을 때 二元인 둘은 다른 것인데, 그 본질로 들어가면 하나로 같다는 것을 표현한 것이다. 같음의 본질은 만물의 어머니인 道다. 形軀를 가진 유한한 존재지만 그 본질은 무한한 어머니(道)와 같다는 말이다. '사람이 곧 하늘이다'는 이렇게 나오는 것이지 常이 어쩌고저쩌고해서 나오는 것이 아니다.

44. 동위지현, 같음을 가믈타고 한다. 여기서 중요한 사실은 현玄이 명사가 아니라는 것이다. 현은 …형용사로서 동同을 형용하는 것이다.…유명과 무명이 따로 분립되어 있지 않고 하나로 되었을 때 그것은 가믈가믈한 깊은 색조, 짙은 정조를 지니게 되는 것이다.…"하나님은 명사가 아니라 형용사 혹은 부사이다." 동위지현의 논리로 말하면, 하나님은 도저히 명사가 될 수 없다. 명사가 된다는 것은 그것이 하나의 존재물로서 전락한다는 것을 의미하며 명사로서 실체적 속박 속에 갇힌다는 것을 의미한다.…하나님은 존재물일 수 없다. 형용사일 때만이 존재물임에서 해방되어 존재 그 자체로 화한다. 동방인들에게 "신神"은…명사가 아닌 형용사이다. 그리고 또 이 형(p79)용사들은 부사적으로 생성하고 있는 동적인 상태인 것이다.…모세가 시내산에 가서 느낀 것도 신적인 떨림이지, 하나님이라는 존재자를 목도한 것이 아니다.…노자는 제1장에서 우주에 대한 바른 인식 자체가 우리를 신적인 경지로 이끌게 된다는 것을 설파하고 있는 것이다.

같음을 가믈타고 일컫는다. 그것은 규정이 아닌 기술이요, 정의가 아닌 형용이요, 언어의 속박이 아닌 느낌의 무한한 개방이다. (p80)

저자〉 동위지현이 이렇게 많고 깊은 뜻이 있을 줄 몰랐다. 최초의 백서본을 왜곡하여 통용본을 만든 이는, 백서본에 쓰인 異名同胃를 나누어 異名은 앞으로 붙이고 同胃는 同謂로 고쳐 '지현'을 만들어 붙여, 동위지현이라는 한 문장을 더 넣었다. 그런데 이것이 도올에 의해 동서양철학의 기원으로 태어날지는 몰랐을 것이다.

모세가 시내산에 가서 목도한 것, 동방인들이 神을 형용사로 보는 것, 하나님은 명사가 아니라 형용사라고 주장하는 것은 모두 저자의 생각을 벗어나는 주장이다. 우리 조상도 저자도 神을 시간 너머에 있는지 시간 속에 있는지 알 수는 없지만, 적어도 다른 차원의 존재자일 거니 하고 기도했다. 기독교의 하나님도 이와 같다. 도올은 왜 전혀 노자가 아닌 글로 마치 노자인 양 해석하는지 모르겠다. 세상 그 누구도 노자를 풀 수 없다고 생각했을까?!

도올이 형용사나 부사로 보는 이유는 단지 존재물로 전락하기 때문이라는데, 그것은 常을 '변화의 항상스러운 모습'으로 정의를 내린 까닭에, 명사로서 존재물이라면, 실체적 속박 속에 있다는 뜻이 되기 때문이다. 즉 그가 형용사나 부사로 보는 것은 첫 문장 '도가도비상도'의 常을 시공간 속에서의 변화의 영속성·정체성으로 정의를 내려, 만물의 어머니인 도나 하나님까지도 시간 속의 존재로 만들었기 때문이다. 그러나 앞서 저자가 말한 것처럼 차원이 다를 수도 있고 같다고 해도 태초보다 먼저 있었으며 우주가 사라진 후에도 있다면 되는 것이다. 이는 적어도 믿는 이의 마음에 영생하는 전지전능한 하나님이요 존재자로 있다. 그리고 누누이 말했듯 제1장에서 유명과 무명은 어떤 실체적인 것을 나타내는 말이 아니다. 굳이 道라고 假名한 이유를 설명하는 글일 뿐이다.

45. 동위지현, 같은 것을 가믈타고 한다. 이 명제에서 가장 중요한 것은 "가믈하다"는 형용사 자체를 또다시 명사화하는 오류에 관한 것이다. 현묘

함 그 자체를 존재화하는 것이다. …모세의 떨림, 언어, 우상화…가믈한 것은 영원히 가믈가믈해야 한다. 가믈한 느낌이 정체되어서는 아니 된다. 그래서 노자는 말한다.

玄之又玄 가믈코 또 가믈토다!

…이 메시지에서 중요한 것은 "又玄"의 영원한 개방성이다. 우현은 常道가 실재가 아닌 과정이라는 메시지를 최종적으로 확인하고 있다. 다시 말해서 현지우현에서 끝나는 것이 아니라, 현지우현 우현 우현 우현 우현……∞ 즉 끝없는 과정이라는 것을 나타내고 있다.(p81)

저자〉 가믈한 것은 가믈한 것 그 자체로 있어야 했는데, 언표됨으로써 명사화된다는 것이며, 이는 현묘함 그 자체를 존재화하는 것이 되는 것이라고 한다. 그래서 그것을 부정하고자, 즉 하지 말라고 가믈코 또 가믈토다를 썼다는 것이다. 그리고 그것은 常道의 의미를 최종적으로 확인하는, 영원한 과정으로서 무한히 이어진다는 수학적 기호 ∞로 표시하고 있다. 한마디로 현지우현은 가믈기가 인류의 멸망까지 계속된다는 뜻이다는 말이다.

통용본의 문장을 현학의 입장에서 보자면, '가믄 것이 또 가믈다'고 했으니, 온통 가믈다는 것인데, 도올은 자신이 풀이한 常道에 연결하여, 이 문장의 뜻을 존재화·정체되지 말라는 문장으로 다시 한번 강조한 것이라고 이해한다. 즉 과정의 지속성으로 풀이하고 있다.

노자 이래 오늘날까지 모든 주석가들은 이 문장을 글자의 뜻을 따라 현학의 입장대로 풀이한다. 그러나 현지우현은 지금까지 풀이해 온 '가믈다'라는 현학의 문장이 아니다. 제1장의 모든 문장이 수렴되는 중묘지문의 앞에 위치하여, 역시 제1장의 모든 문장을 응축해 터뜨린 클라이막스의 의미를 함축한 글이다. 즉 결말 앞의 절정인 것이다. 이 뜻은 백서본의 발견으로 분명해졌다. 백서본은 **玄之有玄**(백서갑본)으로 나와 '가믄 것이 가믈기를 보유했다'는 뜻이다. 이렇게 되면, 2개의 '가믈 현'은 같은 것을 지칭하는 단어가 아니다. 즉 둘은 각기 다른 것을 나타낸다. 그리고 제1장에서 두 가지는 도·묘와 만물·기교뿐이다. 즉 玄이 가리키는 것은 각각 도와 만물이다. 까닭에 이 문장은, 형이하인 인간(또는 만물)을 玄으로 본 것이며, 그것은 결코 규정할 수 없는 가믈한 도의 유전자를 지녔으니 '유현'인 것이다. 이 관점은 노자 전체의 문장으로 반듯하게 연결된다.

저자가 '유명 만물지모'가 중요한 의미를 갖는다고 한 것은 이를 두고 한 말이다. 만물지모 다음 문장에 故(그러므로, 까닭에)가 쓰인 것은 바로 이런 이유다. 도를 상무욕으로 볼 수는 있지만 거의 불가능에 가까워, 늘 하고자 함만 있다면 어머니의 목소리를·어머니의 마음을 대신 자식의 외침으로 볼 수 있다는 뜻이다. 즉 백성의 외치는 소리는 바로 도의 상(마음)인 것이다.

어머니가 오묘하면 자식도 오묘함이 있는 것이다. 그래서 그 또한 가믈다. 백서 갑은 요가 所噭인 것과 함께 '고 이하'를 이해하는 데 중요한 역할을 했다. 도올을 믿든 저자를 믿든, 믿는 것은 독자의 자유다. 그러나 노자의 뜻을 알고자 한다면, 異論이 있는 곳은 관찰자 시점으로 분석하려는 노력은 있어야 한다. 그냥 주어지는 것은 쉽게 잃는 법이다.

46. 玄之又玄 衆妙之門.
가믈코 또 가믈토다! 뭇 묘함이 모두 그 문에서 나오는도다!

현지우현, 즉 끝없는 우현又玄의 프로세스야말로 모든 묘함, 중묘衆妙가 생성되어 나오는 문門이라는 것이다. 문門은 출입의 상징이다. 바로 이 노자의 중묘지문衆妙之門에서 진여문, 생멸문이라는 "문門"의 개념이 나왔다.(p81)

(저자)〉 도올이 현학으로 풀이하는 제1장의 마무리 글이지만 역시 뜻을 읽지 못하고 있다. 도올의 해석은 통용본으로 고친 자의 의도대로, 다른 현학자들처럼 모두 가믈고 가믈고 계속 가믈어서 즉 又玄의 프로세스야말로 모든 묘함이 생성되어 나오는 문이다고 표현한다. 더해 불가의 門도 여기서 나왔다고 주장한다.

제1장은 전체 문장이 중묘지문을 향해 치닫는 글이다. 즉 중묘지문은 대단원의 막처럼 이미 열린 결과로 새로운 의미를 함축한 것은 아니다. 문장의 절정은 도올이 현학으로 본 현지유현에 숨어있다. 하지만 왜곡된 통용본은 현학적 관점 그 이상이 나오기는 무리다. 까닭에 대단원의 막인 중묘지문이 문장의 결어처럼 보이지만, 무엇을 말하는

지 설명할 수 없다.

도올 역시 중묘지문은 '중묘가 생성되어 나오는 문'으로 끝이다. 제
1장의 마무리요 결론이기 때문에 의미를 명확히 설명해 주어야 함에
도, 노자가 나온 이래 누구도 뜻을 알지 못했기에 설명할 수 없었다.
까닭에 노자를 현학으로 보든, 수련서로 보든, 잡학서로 보든, 정치서
로 보든 어떤 관점에서 노자를 집필했어도 이 문장의 역해는 동일했
다. 저자 역시 정치서로 노자를 규정했으면서도 그동안 이 문장의 뜻
을 간과해, 백서갑본의 문장을 보지 못했었다.

妙(眇)는 앞의 '상무욕 이관기묘'의 묘와 같은 글자다. 그러면 최소
이 묘는 그 글자와 연관을 갖는다고 봐야 한다. 즉 老子는 같은 의미
로 이 妙(眇)를 썼다. 따라서 여기의 묘는 道가 보여주는 마음의 상이
다. 즉 도의 마음이다. 그런데 묘 앞에 '여러, 무리 衆'을 수식어로 놓
았다. 이는 일정한 모습이 아닌 그때그때의 상황에 따라 나타나는 온
갖 것을 말한다. 즉 시·공간상의 어느 시점에서 표출되는 도의 여러
가지 (모습마음)을 표현한다. 이를 정리하면 '중묘지문'의 의미를 알
수 있다. 다만 이때 알아야 할 것이 바로 앞 문장 '양자동 출 이명동
위'다

道가 나타내고자 하는 마음인 묘는 만물의 외침인'소교'로 化되어
보여준다는 뜻이다. 즉 중묘는 어머니가 드리운 가지가지 모습 즉 어

머니의 마음을 표현한 말이다. 누구를 통해? 바로 민중·백성·국민의 외치는 소리인 所嗷를 통해서다. 그것이 중묘지문이다. 즉 온갖 묘의 문이란 곧 백성(이 외치는 것)이다. 이는 백성의 소리이자 이 세계다. 백성의 외침은 곧 어머니의 상이요 眇다. 그러니 지도자는 어떻게 나라와 백성을 이끌어야겠는가? 聖이다. 이것이 제1장의 결론이다. 뜬금없는 常에서 人乃天이 나오는 것이 아니라 이렇게 문장을 통해 드러나 있는 것이다.

玄之有玄 衆妙之門은, '가믄 것이 가믈기를 지녔으니 온갖 묘의 門이로다!'이고, 이는 곧 '고유한 만물은 모두 어머니의 본성을 지녔으니, 그것들이 하늘 땅에 드리워져서 외치는 소리야말로 어머니의 묘요 상이요 마음이요 말씀이다'라는 말이다.

마원이 평생 삶의 화두로 던졌던 중묘(지문)는 우리가 간과하고 지나친 백성이자 그들의 외침이요 이 세상이었다. 이렇게 엄청난 뜻을 도올이 세계 최초로 해석하여 정치비평에 썼다면, 그의 명성만큼이나 노자도 빛났을 것 같은데, 하찮은 자의 손에 드러내어, 도리어 최초의 비평 대상자로 만들었으니, 어머니의 마음을 알 길이 없다.

[略] 이후 81쪽부터 마지막 93쪽까지 많은 것이 언급되고 있다.

전체적으로는, 통일 신라시대의 고운孤雲 최치원崔致遠선생의 현묘지도玄妙之道를 제1장과 연관지어 설명한다. 고운의 風流를 가지고 성령으로, 또 숨과 호흡으로 연결하고, 이는 자신의 기철학으로 마무리되는 것 같다. 노자의 자구 해석과 관련이 없다고 판단해 모두 생략한다.

47. 내가 여기 노자를 설함에 최치원을 언급한 뜻은 노자의 사상이 … 인류 철학적 사유의 원점이라는 것이다.… 이제 『노자』 제1장에 대한 나의 해설이 대강 끝난 것 같다. 내가 『노자』를 최초로 접한 것은 1970년의 사건이었다.…1970년대 봄학기…김충렬교수의(p89) 강의를 듣고 나는 노자의 대의를 파악하였다.…사실 내가 지금 여기 전하는 내용은 1970년 봄학기에 내가 깨달은 논리의 범위를 크게 벗어나지 않는다. 만 50년 전의 일이라고는 하지만 그만큼 당시 나의 깨달음의 폭은 컸다. 아무리 대단한 고승의 대각을 여기 피력한다 한들 그 명함을 내밀기가 쉽지 않을 것이다. …『노자』 1장에 대한 나의 강론을 한마디로 요약하자면 "常" 혹은 "常道," 그 한마디로 귀결된다. 그것은 변화의 부정의 부정이며, 시간의 긍정이다. (p90)… 얼마 전에…"그림과 말 2020" 전시회를 가보았다. 1980년대 민중미술을 주도한 "현실과 발언"의 작가들이 이제 원로가 되어 다시 여는 작품적이었다.…제주 4·3의 실상을 그림으로 민중에게 웅변한 강요배 화백을 만났다.…"꽃"이라는 제목이 달린 작품이었는데, …나에게 이런 설명을 해주었다.

"사실 이 그림의 제목은 '꽃'이 아니라 '중묘지문'입니다.…제1장에 나오는 중묘지문이라는 말에 너무도 매력을 느꼈고, 그것을 어떻게 해서든지 표현하고 싶었습니다. 그러한 고민 끝에 노자로부터 받은 인스피레이션을 이렇게 꽃 한 송이로 표현해보았습니다.…그런데 제가 감히 노자를 안다고 폼 잡을(p91)수도 없는 노릇이고, 80년대 선생님과 같은 철학자가 나타나기 이

전에는 아무도 노자가 뭔지 몰랐어요…"(p92)

〈一老〉 대각마저도 스스로 자랑하는 시대가 됐나 보다. 지금까지 저자는 자신이 스스로 대각했다고 떠벌리는 현자를 보지 못했다. 마침내 도올이 그 전래를 깰 수 있을까?!

약 20여 년 전쯤 한 여자로부터 노자 주석에 대해 비판받고, 논리적인 반박도 하지 못한 채, 방송 펑크 낸 사람이 도올이었는데, 반성과 성찰없이 常만 덧씌운 채 그 내용 그대로 다시 들고 나왔다. 곁가지만 풍성해졌을 뿐 노자에 대한 성찰은 변함이 없다. 그놈의 常(道)을 쓰레기통에 버렸으면 정말 좋았으련만…. 이것이 저자가 읽은 책에 대한 소회이다. 50년 전의 깨침이라는 것이 고작 말 잘하는 앵무새요 피라미 눈곱이라 생각되는데, 나르시스보다도 더 자아에 빠져 낯뜨거운 헛소리를 하고 있으니, 죽비를 내려야 할지 우레를 불러야 할지 웃픈 마음뿐이다. 저자 또한 노자를 읽었고 해석이 다르니 단판이라도 해야 하지 않을까?!

저자도 노자를 연구했기에, 노자가 최고였으면 하는 것은 저자도 그렇다. 하지만 노자가 '인류 철학적 사유의 원점'까지인지는 모르겠다. 다만 노자에는 인간의 본질에 대해 생각해볼 만한 내용이 풍성해 그것으로 玄覽했다면 좋은 일이다. 노자에는 충분히 이성의 눈을 띄워줄 수 있는 깊고 좋은 글들이 넘친다. 그래서 더욱 도올이 그렇게 되기를 바랐다.

노자는 철학적으로는 道와 名의 이원론 이야기다. 영생과 생멸, 무한과 유한, 전체와 부분 등등 道와 名은 차원이 다르다. 그러나 둘은 본질적으로 동질이다. 창조주 어머니(道)의 뜻으로 잠시 서로 다른 형체(固有)를 갖추어 자식(名)으로 태어났을 뿐, 노자는 궁극적으로 일원론이다.

이것을 이해해야 노자를 읽을 수 있다. 도올은 이것을 이해하는 듯하다가 형이상을 부정하고 불교 쪽으로 빠진다. 양쪽 모두가 갖는 철학적 기반인 不二도 노자는 이원론적 일원론으로서의 불이이지만 불교는 우주론적 일원론으로서의 불이론으로 개념이 다르다. 그러므로 노자에서 '名은 固有한 존재'이고 '개개는 고귀'한 것이다. 고유한 名은 道가 부여한 역할 규정이지 차별의 이유가 될 수 없다. 잘난 놈도 못난 놈도 어머니에게는 너와 나 동급이며 같은 손의 가락이다.

삶이 苦海일 수 없다. 역사적으로 삶이 고해인 것은, 쥐어서는 안될 쓰레기들이 권력을 쥔 때문이다. 선거로 된 경우라면 떡고물에 쓰레기와 부화뇌동한 속 검은 이들에게 속았기 때문이다. 이 또한 선택한 주권자에게 모든 책임이 귀착되겠지만, 언론·종교를 이끈다는 智가 국가와 민족을 중심에 놓고 민초를 어루만졌다면, 히틀러나 백성을 사지로 모는 독재자가 선거로 당선되는 것은 불가능했을 것이다.

그래서 대의제에서는 골목대장도 신중해야 한다. 그것이 대의제의 특징이다. 고작 50여 일만 검증하면 지나버리는 제도는 국민을 위한 법이 아니다. 50일은 여론조작과 물타기만으로도 금방 간다. 나라와 국민을 이끌어야 할 절대권력을 쥐는 자리는 청춘 시절부터 검증해도 지나치지 않다.

도올이 현란한 언변으로 동양학을 일상의 대화로 끄집어 온 것은 높이 살 일이다. 난 그것을, 도올이 어머니에게서 받은 名이다고 본다. 하지만 노자의 해석은 아니다. 漢字 一 字를 가지고 우려먹는 해석은 중국이나 불교에서 적합한 방법일지 몰라도 노자는 아니다. 노자는 문장으로 읽고, '왜?'라고 질문해야 알 수 있는 내용이다. 까닭에 '노자 1장에 대한 나의 강론을 한마디로 요약하자면 常 혹은 常道, 그 한마디로 귀결된다'고 정의한 도올의 제1장 해석은 이제 놓아드려야 한다.

상대방을 높이고 자신을 낮추는 예의는 노자의 뜻이기도 하다. 다만 좀 더 깊이 들어가면 겸양은 아래로 흐르는 물이어야 최고다. 마지막으로 저자가 감히 조언한다면, 그림 속 검은색 어두운 곳에 이유·영문도 모르고 죽어야만 했던 4·3 영령의 한 맺힌 외침 모습을 넣으면 그것이 중묘지문의 완성이 될 것이다.

>>>>> **계속 (제2장과 제3장은 2권에서)** ~~~~~~

老子의 도덕경 123 (1)

발 행 | 2024년 6월 1일
저 자 | 정대철
펴낸이 | 한건희
펴낸곳 | 주식회사 부크크
출판사등록 | 2014.07.15.(제2014-16호)
주 소 | 서울특별시 금천구 가산디지털1로 119 SK트윈타워 A동 305호
전 화 | 1670-8316
이메일 | info@bookk.co.kr

ISBN | 979-11-410-8741-8

www.bookk.co.kr